P9-CQX-095

ACTES SUD – PAPIERS
Fondateur : Christian Dupeyron
Editorial : Claire David

Leméac Éditeur remercie le ministère du Patrimoine canadien, le Conseil des arts du Canada, la Société de développement des entreprises culturelles du Québec (SODEC) et le Programme de crédit d'impôt pour l'édition de livres du Québec (Gestion SODEC) du soutien accordé à son programme de publication.

Illustration de couverture : Anita Rist-Geiger, pour la première allemande des *Belles-Sœurs*, 1987
(Tous droits réservés)

ISBN 978-2-7609-2683-7

ISSN 0298-0592 ISBN 978-2-7427-7099-1

LES BELLES-SŒURS

Michel Tremblay

À toutes ces femmes que j'aime,
qui peuplent ma vie et ma fiction.

PERSONNAGES

Germaine Lauzon
Linda Lauzon
Rose Ouimet
Gabrielle Jodoin
Lisette de Courval
Marie-Ange Brouillette
Yvette Longpré
Des-Neiges Verrette
Thérèse Dubuc
Olivine Dubuc
Angéline Sauvé
Rhéauna Bibeau
Lise Paquette
Ginette Ménard
Pierrette Guérin

L'action se déroule en 1965.

Cuisine. Quatre énormes caisses occupent le centre de la pièce.

ACTE I

Entre Linda Lauzon. Elle aperçoit les quatre caisses posées au centre de la cuisine.

LINDA LAUZON. Misère, que c'est ça ? Moman !

GERMAINE LAUZON *(dans une autre pièce).* C'est toé, Linda ?

LINDA LAUZON. Oui. Que c'est ça, les caisses qui traînent dans'cuisine ?

GERMAINE LAUZON. C'est mes timbres !

LINDA LAUZON. Sont déjà arrivés ? Ben, j'ai mon voyage ! Ç'a pas pris de temps !

Entre Germaine Lauzon.

GERMAINE LAUZON. Ben non, hein ? Moé aussi j'ai resté surpris ! Tu v'nais juste de partir, à matin, quand ç'a sonné à'porte ! J'vas répondre. C'tait un espèce de grand gars. J'pense que tu l'aurais aimé, Linda. En plein ton genre. Dans les vingt-deux, vingt-trois ans, les cheveux noirs, frisés, avec une petite moustache... Un vrai bel homme. Y m'demande, comme ça, si chus madame Germaine Lauzon, ménagère. J'dis qu'oui, que c'est ben moé. Y m'dit que c'est mes timbres. Me v'là toute énarvée, tu comprends. J'savais pas que c'est dire... Deux gars sont v'nus les porter dans'maison pis l'autre gars m'a faite un espèce de discours... Y parlait ben en s'il vous plaît ! Pis y'avait l'air fin ! Chus certaine que tu l'aurais trouvé de ton goût, Linda...

LINDA LAUZON. Que c'est qu'y disait, toujours ?

GERMAINE LAUZON. J'sais pus trop... J'étais assez énarvée... Y m'a dit que la compagnie pour qui qu'y travaillait était ben contente que j'aye gagné le million de timbres-primes… quc j'étais ben chanceuse… Moé, j'savais pas que c'est dire… J'aurais aimé que ton père soye là… y'aurait pu y parler, lui… J'sais même pas si j'y ai dit marci !

LINDA LAUZON. Ça va en faire des timbres à coller, ça ! Quatre caisses ! Un million de timbres, on rit pus !

GERMAINE LAUZON. Y'en a juste trois caisses. La quatrième, c'est pour les livrets. Mais j'ai eu une idée, Linda. On n'est pas pour coller ça tu-seules ! Sors-tu, à soir ?

LINDA LAUZON. Oui, Robert est supposé de m'appeler…

GERMAINE LAUZON. Tu pourrais pas r'mettre ça à demain ? J'ai eu une idée, 'coute ben… A midi, j'ai téléphoné à mes sœurs, à la sœur de ton pére, pis chus t'allée voir les voisines. J'les ai toutes invitées à v'nir coller des timbres, à soir. J'vas faire un party de collage de timbres ! C't'une vraie bonne idée, ça, hein ? J'ai acheté des pinottes, du chocolat, le p'tit a été chercher des liqueurs…

LINDA LAUZON. Moman, vous savez ben que j'sors toujours, le jeudi soir ! C'est not'soir ! On voulait aller aux vues…

GERMAINE LAUZON. Tu peux pas me laisser tu-seule un soir pareil ! On va être quasiment quinze !

LINDA LAUZON. Vous êtes pas folle ! On rentre jamais quinze dans'cuisine ! Pis vous savez ben qu'on peut pas recevoir dans le restant de la maison parce qu'on peinture ! Misère, moman, que vous avez donc pas d'allure, des fois !

GERMAINE LAUZON. C'est ça, méprise-moé ! Bon, c'est correct, sors, fais à ta tête ! Tu fais toujours à ta tête, c'est pas ben ben mêlant ! Maudite vie ! J'peux même pas avoir une p'tite joie, y faut toujours que quelqu'un vienne toute gâter ! Vas-y aux vues, Linda, vas-y, sors à'soir, fais à ta tête ! Maudit verrat de bâtard que chus donc tannée !

LINDA LAUZON. Comprenez donc, moman…

GERMAINE LAUZON. J'comprends rien pantoute pis j'veux rien savoir ! Parle-moé pus… Désâmez-vous pour élever ça, pis que c'est que ça vous rapporte ? Rien ! Rien pantoute ! C'est même pas capable de vous rendre un p'tit sarvice ! J't'avertis, Linda, j'commence à en avoir plein le casque de vous servir, toé pis les autres ! Chus pas une sarvante, moé, icitte ! J'ai un million de timbres à coller pis chus pas pour les coller tu-seule ! Après toute, ces timbres-là, y vont servir à tout le monde ! Faudrait que tout le monde fasse sa part, dans'maison !... Ton père travaille de nuit, pis si on n'a pas fini de coller ça demain, y va continuer dans'journée, y me l'a dit ! J'demande pas la lune ! Aide-moé donc, pour une fois, au lieu d'aller niaiser avec c'te niaiseux-là !

LINDA LAUZON. C'est pas un niaiseux, vous saurez !

GERMAINE LAUZON. Ah ben, j'ai mon voyage ! J'savais que t'étais nounounc, mais pas à ce point-là ! Tu t'es pas encore aperçue que ton Robert c't'un bon-rien ? Y gagne même pas soixante piasses par semaine ! Pis tout c'qu'y peut te payer, c'est le théâtre Amherst, le jeudi soir ! C'est moé qui te le dis, Linda, prends le conseil d'une mére, si tu continues à le fréquenter, tu vas devenir une bon-rienne comme lui ! T'as quand même pas envie de marier un colleur de semelles pis de rester strapeuse toute ta vie !

LINDA LAUZON. Farmez-vous donc, moman, quand vous êtes fâchée, vous savez pus c'que vous dites ! C'est correct, j'vas rester, à soir, mais arrêtez de chialer, pour l'amour ! D'abord, Robert, là, y va avoir une augmentation ben vite, pis y va gagner pas mal plus cher ! Y'est pas si nono que ça, vous savez ! Le boss m'a même dit qu'y pourrait embarquer dans les grosses payes, ben vite, pis devenir p'tit boss ! Quand t'arrives dans les quatre-vingts piasses par semaine, c'est pus des farces ! Entéka ! J'vas y téléphoner, là... J'vas y dire que j'peux pas aller aux vues, à soir... J'peux-tu y dire de v'nir coller des timbres avec nous autres ?

GERMAINE LAUZON. Tiens, r'gard-la ! J'viens d'y dire que j'peux pas le sentir, pis a'veut l'inviter à soir ! Ma grand-foi du bon Dieu, t'as pas de tête su'es épaules, ma pauv'fille ! Que c'est que j'ai ben pu faire au bon Dieu du ciel pour qu'y m'envoye des enfants bouchés pareils ! Encore, à midi, j'demande au p'tit d'aller me chercher une livre d'oignons, pis y me revient avec deux pintes de lait ! Ç'a pas de saint grand bon sens ! Y faudrait toute répéter vingt fois, ici-dedans ! J'peux ben pardre patience ! J't'ai dit que je faisais un party de femmes, Linda, rien que des femmes ! C'est pas un fifi, ton Robert !

LINDA LAUZON. C'est correct, v'nez pas folle, la mére, j'vas y dire de pas v'nir, c'est toute ! J'ai mon voyage ! On n'est même pas capable de rien faire, icitte ! Voir si j'ai envie de coller des timbres après ma journée à shop ! Pis allez épousseter dans le salon, un peu ! Vous êtes pas obligée de tout entendre c'que j'vas dire ! *(Elle compose un numéro de téléphone.)* Allô ! Robert, s'il vous plaît… Quand c'est que vous l'attendez ? Bon, vous y direz que c'est Linda qui a appelé… Oui, madame Bergeron, ça va bien, pis vous ? Tant mieux ! Bon ben c'est ça, hein, bonjour ! *(Elle raccroche. Le téléphone sonne aussitôt.)* Allô ! Moman, c'est pour vous !

GERMAINE LAUZON *(entrant)*. T'as vingt ans, pis tu sais pas encore qu'y faut dire "un instant s'il vous plaît", quand on répond au téléphone !

LINDA LAUZON. C'est rien que ma tante Rose. J'sais pas pourquoi j's'rais polie avec elle !

GERMAINE LAUZON *(bouchant le récepteur)*. Veux-tu ben te taire ! D'un coup qu'a t'aurait entendue !

LINDA LAUZON. J'm'en sacre !

GERMAINE LAUZON. Allô ! Ah ! C'est toé, Rose… Ben oui, sont arrivés… C'est ben pour dire, hein ? Un million ! Sont devant moé, là, pis j'le crois pas encore ! Un million ! J'sais pas au juste combien ça fait, mais quand on dit un million, on rit pus ! Oui, y m'ont donné un cataloye, avec. J'en avais déjà un, mais celui-là, c'est celui de c't'année, ça fait que c'est ben mieux… L'autre était toute magané… Oui, y'a assez des belles affaires, tu devrais voir ça ! C'est pas creyable ! J'pense que j'vas pouvoir toute prendre c'qu'y'a d'dans ! J'vas toute meubler ma maison en neuf ! J'vas avoir un poêle, un frigidaire, un set de cuisine… J'pense que j'vas prendre le rouge avec des étoiles dorées. J'sais pas si tu l'as déjà vu… Y'est assez beau, aïe ! J'vas avoir des chaudrons, une coutellerie, un set de vaisselle, des salières, des poivrières, des verres en verre taillé avec le motif "Caprice" là, t'sais si y sont beaux... Madame de Courval en a eu l'année passée. A'disait qu'a l'avait payé ça cher sans bon sens... Moé, j'vas toutes les avoir pour rien ! A'va être en beau verrat ! Hein ? Oui, a vient, à soir ! J'ai vu des pots en fer chromé pour mettre le sel, le poivre, le thé, le café, le sucre, pis toute la patente, là. Oui, j'vas toute prendre ça... J'vas avoir un set de chambre style colonial au grand complet avec accessoires. Des rideaux, des dessus de bureau, une affaire pour mettre à terre à côté du litte, d'la tapisserie neuve... Non, pas fleurie, ça donne mal à tête à Henri, quand y dort... Ah ! j'te dis, j'vas avoir une vraie belle chambre ! Pour le salon, j'ai un set complet avec le stirio, la TV, le tapis de nylon synthétique, les cadres... Ah ! les vrais beaux cadres ! T'sais, là, les cadres chinois avec du velours... C'tu assez beau, hein ? Depuis le temps que j'en veux ! Pis tiens-toé ben ma p'tite fille, j'vas avoir des plats en verre soufflé ! Ben oui, pareils comme ceux de ta belle-sœur Aline ! Pis même, j'pense qu'y sont encore plus beaux ! J't'assez contente, aïe ! Y'a des cendriers, des lampes... j'pense que c'est pas mal toute pour le salon... Y'a un rasoir électrique pour Henri pour se raser, des rideaux de douche... Quoi ? Ben, on va en faire poser une, y'en donnent avec les timbres ! Un bain tombeau, un lavier neuf, chacun un costume de bain neuf... Non, non, non, chus pas trop grosse, commence pas avec ça ! Pis j'vas toute meubler la chambre du p'tit. Tu devrais voir c'qu'y ont pour les chambres d'enfants, c'est de toute beauté de voir ça ! Avec des Mickey Mouse partout ! Pour la chambre de Linda... O.K. c'est ça, tu r'garderas le cataloye, plutôt. Viens-t-en tu-suite, par exemple, les autres vont arriver ! J'leur s'ai dit d'arriver de bonne heure ! Tu comprends, ça va ben prendre pas mal de temps pour coller ça ! *(Entre Marie-Ange Brouillette.)* Bon ben, j'vas te laisser, là, madame Brouillette vient d'arriver. C'est ça, oui... oui... bye !

MARIE-ANGE BROUILLETTE. Moé, c'est ben simple, madame Lauzon, chus jalouse.

GERMAINE LAUZON. J'vous pense ! C'est tout un événement ! Mais vous allez m'excuser, madame Brouillette, chus pas encore prête. J'parlais à ma sœur Rose… J'la r'gardais par la fenêtre… On se voit de bord en bord de la ruelle, c'est commode…

MARIE-ANGE BROUILLETTE. A'vient-tu elle itou ?

GERMAINE LAUZON. Ben oui, a manquerait pas ça pour tout l'or au monde vous comprenez ! Assisez-vous un peu, en attendant, pis regardez le cataloye ! Vous allez voir les belles affaires qu'y'a d'dans ! J'vas toutes les avoir, madame Brouillette, toutes ! Toute le cataloye !

Germaine Lauzon entre dans sa chambre.

MARIE-ANGE BROUILLETTE. C'est pas moé qui aurais eu c'te chance-là ! Pas de danger ! Moé, j'mange d'la marde, pis j'vas en manger toute ma vie ! Un million de timbres ! Toute une maison ! C'est ben simple, si j'me r'tenais pas, j'braillerais comme une vache ! On peut dire que la chance tombe toujours sur les ceuses qui le méritent pas ! Que c'est qu'a'l'a tant faite, madame Lauzon, pour mériter ça, hein ? Rien ! Rien pantoute ! Est pas plus belle, pis pas plus fine que moé ! Ça devrait pas exister, ces concours-là ! Monsieur le curé avait ben raison, l'aut'jour, quand y disait que ça devrait être embolie ! Pour que c'est faire, qu'elle, a'gagnerait un million de timbres, pis pas moé, hein, pour que c'est faire ! C'est pas juste ! Moé aussi, j'travaille, moé aussi j'les torche, mes enfants ! Même que les miens sont plus propres que les siens ! J'travaille comme une damnée, c'est pour ça que j'ai l'air d'un esquelette ! Elle, est grosse comme une cochonne ! Pis v'là rendu que j'vas être obligée de rester à côté d'elle pis de sa belle maison gratis ! C'est ben simple, ça me brûle ! Ça me brûle ! J'vas être obligée d'endurer ses sarcasses, à part de ça ! Parce qu'a'va s'enfler la tête, c'est le genre ! La vraie maudite folle ! On va entendre parler de ses timbres pendant des années ! Maudit ! J'ai raison d'être en maudit ! J'veux pas crever dans la crasse pendant qu'elle, la grosse madame, a'va se "prélasser dans la soie et le velours" ! C'est pas juste ! Chus tannée de m'esquinter pour rien ! Ma vie est plate ! Plate ! Pis par-dessus le marché, chus pauvre comme la gale ! Chus tannée de vivre une maudite vie plate !

Pendant ce monologue, Gabrielle Jodoin, Rose Ouimet, Yvette Longpré et Lisette de Courval ont fait leur entrée. Elles se sont installées dans la cuisine sans s'occuper de Marie-Ange. Les cinq femmes se lèvent et se tournent vers le public. L'éclairage change.

LES CINQ FEMMES *(ensemble).* Quintette : Une maudite vie plate ! Lundi !

LISETTE DE COURVAL. Dès que le soleil a commencé à caresser de ses rayons les petites fleurs dans les champs et que les petits oiseaux ont ouvert leurs petits becs pour lancer vers le ciel leurs petits cris...

LES QUATRE AUTRES. J'me lève, pis j'prépare le déjeuner ! Des toasts, du café, du bacon, des œufs. J'ai d'la misère que l'yable à réveiller mon monde. Les enfants partent pour l'école, mon mari s'en va travailler.

MARIE-ANGE BROUILLETTE. Pas le mien, y'est chômeur. Y reste couché.

LES CINQ FEMMES. Là, là, j'travaille comme une enragée, jusqu'à midi. J'lave. Les robes, les jupes, les bas, les chandails, les pantalons, les canneçons, les brassières, tout y passe ! Pis frotte, pis tords, pis refrotte, pis rince... C't'écœurant, j'ai les mains rouges, j't'écœurée. J'sacre. A midi, les enfants reviennent. Ça mange comme des cochons, ça revire la maison à l'envers, pis ça repart ! L'après-midi, j'étends. Ça, c'est mortel ! J'haïs ça comme une bonne ! Après, j'prépare le souper. Le monde reviennent, y'ont l'air bête, on se chicane ! Pis le soir, on regarde la télévision ! Mardi !

LISETTE DE COURVAL. Dès que le soleil...

LES QUATRE AUTRES FEMMES. J'me lève, pis j'prépare le déjeuner. Toujours la même maudite affaire ! Des toasts, du café, des œufs, du bacon... J'réveille le monde, j'les mets dehors. Là, c'est le repassage. J'travaille, j'travaille, j'travaille. Midi arrive sans que je le voye venir pis les enfants sont en maudit parce que j'ai rien préparé pour le dîner. J'leu'fais des sandwichs au béloné. J'travaille toute l'après-midi, le souper arrive, on se chicane. Pis le soir, on regarde la télévision ! Mercredi ! C'est le jour du mégasinage ! J'marche toute la journée, j'me donne un tour de rein à porter des paquets gros comme ça, j'reviens à la maison crevée ! Y faut quand même que je fasse à manger. Quand le monde arrivent, j'ai l'air bête ! Mon mari sacre, les enfants braillent... Pis le soir, on regarde la télévision ! Le jeudi pis le vendredi, c'est la même chose ! J'm'esquinte, j'me désâme, j'me tue pour ma gang de nonos ! Le samedi, j'ai les enfants dans les jambes par-dessus le marché ! Pis le soir, on regarde la télévision ! Le dimanche, on sort en famille : on va souper chez la belle-mère en autobus. Y faut guetter les enfants toute la journée, endurer les farces plates du beau-père, pis manger la nourriture de la belle-mère qui est donc meilleure que la mienne au dire de tout le monde ! Pis le soir, on regarde la télévision ! Chus tannée de mener une maudite vie plate ! Une maudite vie plate ! Une maudite vie plate ! Une maud...

L'éclairage redevient normal. Elles se rassoient brusquement.

LISETTE DE COURVAL. Moi, quand je suis t'allée en Urope...

ROSE OUIMET. La v'là qui recommence avec son Europe, elle ! Ça va être beau ! On n'a pour toute la soirée, certain ! Quand a'commence, a's'arrête pus ! A's'monte, a's'monte, pis y'a pus moyen d'la décrinquer !

Entre Des-Neiges Verrette. Petits saluts discrets.

LISETTE DE COURVAL. J'voulais seulement dire qu'ils n'ont pas de timbres, en Urope. C'est-à-dire qu'ils ont des timbres, mais pas des comme ceux-là. Juste des timbres pour timbrer les lettres.

DES-NEIGES VERRETTE. Ça doit être plat vrai ! Y peuvent pas avoir de cadeaux comme nous autres ? Ça doit être plat vrai, en Europe !

LISETTE DE COURVAL. Non, c'est bien beau quand même...

MARIE-ANGE BROUILLETTE. Moé, chus pas contre les timbres, c'est ben commode. Si y'avait pas de timbres, j'attendrais encore après ma patente pour hacher la viande. Mais chus contre les concours, par exemple !

LISETTE DE COURVAL. Pourquoi, donc ? Ça rend une famille heureuse !

MARIE-ANGE BROUILLETTE. Peut-être, peut-être, mais ça fait chier les familles qui vivent alentour, par exemple !

LISETTE DE COURVAL. Mon Dieu, que vous êtes donc mal embouchée, madame Brouillette ! Regardez, moi, j'perle bien, puis j'm'en sens pas plus mal !

MARIE-ANGE BROUILLETTE. J'parle comme que j'peux, pis j'dis c'que j'ai à dire, c'est toute ! Chus pas t'allée en Urope, moé, chus pas t'obligée de me forcer pour bien perler !

ROSE OUIMET. Commencez donc pas à faire la chicane, vous deux, là ! On n'est pas venues icitte pour se chicaner ! Si vous continuez, moé, je r'travarse la ruelle, pis j'rentre chez nous !

GABRIELLE JODOIN. Que c'est que Germaine fait, donc, qu'a'l'arrive pas ! Germaine !

GERMAINE LAUZON *(dans sa chambre)*. Oui, ça s'ra pas long, là ! J'ai d'la misère avec... Entéka, j'ai d'la misère... Linda est-tu là ?

GABRIELLE JODOIN. Linda ! Linda ! Non, est pas là !

MARIE-ANGE BROUILLETTE. J'pense que j'l'ai vue sortir, t'à l'heure.

GERMAINE LAUZON. Dites-moé pas qu'a's'est sauvée, la p'tite bougraise !

GABRIELLE JODOIN. On peut-tu commencer à coller les timbres, en t'attendant ?

GERMAINE LAUZON. Non ! Attendez-moé, j'vas toute vous dire c'que vous avez à faire ! Commencez pas tu-suite, attendez que je soye là ! Jasez, en attendant, jasez !

GABRIELLE JODOIN. Jaser, jaser, c'est beau...

Le téléphone sonne.

ROSE OUIMET. Mon Dieu, que j'ai eu peur ! Allô ! Non, est pas là, mais si vous voulez attendre, ça s'ra pas ben long, a'va r'venir d'une seconde à l'autre, j'pense. *(Elle pose le récepteur, sort sur la galerie et crie :)* Linda ! Linda, téléphone !

LISETTE DE COURVAL. Et puis, madame Longpré, comment est-ce que votre fille Claudette aime ça, être mariée ?

YVETTE LONGPRÉ. Ah ! A'l'aime ben ça. A'trouve ça ben l'fun. A'm'a toute conté son voyage de noces, vous comprenez.

GABRIELLE JODOIN. Où c'est qu'y sont allés, donc ?

YVETTE LONGPRÉ. Ben, lui y'avait gagné un voyage aux îles Canaries, hein, ça fait qu'y se sont dépêchés pour se marier…

ROSE OUIMET *(riant)*. Les îles Canaries ? Ça doit être plein de serins, par là !

GABRIELLE JODOIN. Voyons, Rose !

ROSE OUIMET. Ben quoi !

DES-NEIGES VERRETTE. C'est où ça, les îles Canaries ?

LISETTE DE COURVAL. Nous sommes passés par là, moi et mon mari lors de notre dernier voyage en Urope… C'est un ben… bien beau pays. Les femmes portent seulement que des jupes.

ROSE OUIMET. Le vrai pays pour mon mari !

LISETTE DE COURVAL. Pis j'vous assure que c'est du monde qui sont pas ben propres ! D'ailleurs, en Urope, le monde se lavent pas !

DES-NEIGES VERRETTE. Y'ont l'air assez sales, aussi ! Prenez l'Italienne à côté de chez nous, a'pue c'te femme-là, c'est pas croyable !

Les femmes éclatent de rire.

LISETTE DE COURVAL *(insinuante)*. Avez-vous déjà remarqué sa corde à linge, le lundi ?

DES-NEIGES VERRETTE. Non, pourquoi ?

LISETTE DE COURVAL. J'ai rien qu'une chose à vous dire : c'monde-là, là, ça porte pas de sous-vêtements !

MARIE-ANGE BROUILLETTE. Pas vrai !

ROSE OUIMET. Arrêtez donc, là, vous !

YVETTE LONGPRÉ. J'ai mon voyage !

LISETTE DE COURVAL. Vrai comme je suis là ! Vous remarquerez, lundi prochain, vous allez voir !

YVETTE LONGPRÉ. Y peuvent ben puer !

MARIE-ANGE BROUILLETTE. Peut-être qu'a'l'aime mieux étendre ses sous-vêtements dans la maison... par pudeur !

Toutes les autres rient.

LISETTE DE COURVAL. La pudeur, y connaissent pas ça, les Uropéens ! Vous avez qu'à regarder les films, à la télévision ! C'est ben effrayant de voir ça ! Ça s'embrasse à tour de bras au beau milieu d'la rue ! C'est dans eux autres, ils sont faits comme ça ! Vous avez rien qu'à guetter la fille de l'Italienne quand elle reçoit ses chums... euh... ses amis de garçons... C't'effrayant c'qu'elle fait, cette fille-là ! Une vraie honte ! Ça me fait penser, madame Ouimet, j'ai vu votre Michel, l'autre jour...

ROSE OUIMET. Pas avec c'te puante-là, toujours !

LISETTE DE COURVAL. Oui, justement.

ROSE OUIMET. Vous avez dû vous tromper ! Ça peut pas être lui !

LISETTE DE COURVAL. Bien voyons, c'est mes voisins à moi aussi, les Italiens ! Ils étaient tous les deux sur le balcon d'en avant... Y pensaient que personne pouvait les voir, je suppose...

DES-NEIGES VERRETTE. C'est vrai, j'les ai vus, moé aussi, madame Ouimet. Pis j'vous dis que ça s'embrassait sur un vrai temps !

ROSE OUIMET. Le p'tit maudit, par exemple ! Y'avait pas assez d'un cochon, dans'maison... Quand j'parle de cochon, là, j'parle de mon mari... Y peut pas voir une belle fille, à la télévision, là, y... y... vient fou raide ! Maudit cul ! Y'en ont jamais assez, les Ouimet ! Sont toutes pareils, dans'famille, y...

GABRIELLE JODOIN. Voyons, Rose, t'es pas obligée de conter ta vie de famille devant tout le monde...

LISETTE DE COURVAL. Bien, ça nous intéresse...

DES-NEIGES ET MARIE-ANGE. Oui, certain !

YVETTE LONGPRÉ. Pour en revenir au voyage de noces de ma fille...

Entre Germaine Lauzon, tout endimanchée.

ROSE OUIMET. Bonyeu, tu t'es checquée ! T'en vas-tu aux noces ?

GERMAINE LAUZON. Me v'là, les filles ! *(Salutations, "bonjour, comment ça va", etc.)* De quoi vous parliez, donc ?

ROSE OUIMET. Ben, madame Longpré nous contait le voyage de noces de sa Claudette, justement...

GERMAINE LAUZON. Oui ? Bonjour madame... Pis, que c'est qu'a'disait ?

ROSE OUIMET. Ça l'air que c'était un vrai beau voyage. Y'ont vu tu-sortes de monde. Sont allés en bateau. Tu comprends, c'est des îles qu'y'ont visitées. Les îles Canaries... A pêche, y'ont pris des poissons gros comme ça, y paraît ! Y'ont rencontré des couples qu'y connaissaient... des amies de filles de Claudette... Y sont toutes revenus ensemble. Sont arrêtés à New York. Madame Longpré nous a conté des anecdoques...

YVETTE LONGPRÉ. Ben...

ROSE OUIMET. Hein, madame Longpré, c'est vrai, c'que j'dis là ?

YVETTE LONGPRÉ. Ben, c't-à-dire...

GERMAINE LAUZON. Vous direz à votre fille, madame Longpré, que j'y souhaite ben du bonheur. On n'a pas été invités aux noces, mais on sait vivre pareil !

Silence gêné.

GABRIELLE JODOIN. Aïe, y'est quasiment sept heures ! Le chapelet !

GERMAINE LAUZON. Mon doux, ma neuvaine à sainte Thérèse ! J'vas aller chercher le radio à Linda...

Elle sort.

ROSE OUIMET. Que c'est qu'a'peut ben vouloir à sainte Thérèse, donc elle ? Surtout après c'qu'a'vient de gagner !

DES-NEIGES VERRETTE. C'est peut-être ses enfants qui y donnent du mal...

GABRIELLE JODOIN. J'pense pas, a'me l'aurait dit...

GERMAINE LAUZON *(de la chambre de Linda)*. Où c'est qu'a'l'a fourré, c'te radio-là, donc !

ROSE OUIMET. Ben, j'sais pas, Gaby, est pas mal cachottière, des fois, not'sœur !

GABRIELLE JODOIN. A'me conte toute, à moé. Toé, on sait ben, commère comme que t'es...

ROSE OUIMET. Comment ça, commère comme que chus. T'es pas ben ben gênée ! Tu sauras que chus pas plus commère que toé, Gabrielle Jodoin !

GABRIELLE JODOIN. Voyons donc, tu sais ben que tu peux rien garder pour toé !

ROSE OUIMET. Ah ! ben là, par exemple... Si tu penses...

LISETTE DE COURVAL. C'est vous, madame Ouimet, qui disiez tout à l'heure qu'on n'est pas venues ici pour se quereller ?

ROSE OUIMET. Vous, là, mêlez-vous de ce qui vous regarde ! D'abord, j'ai pas dit quereller, j'ai dit chicaner !

Germaine Lauzon revient avec un appareil de radio.

GERMAINE LAUZON. Que c'est qui se passe donc, on vous entend crier à l'aut'boute d'la maison !

GABRIELLE JODOIN. Ah ben ! C'est not'sœur, encore...

GERMAINE LAUZON. Reste donc tranquille, un peu, Rose ! D'habitude, c'est toujours toé qui fais le fun dans les partys... Commence pas la chicane à soir !

ROSE OUIMET. Vous voyez, on dit chicane, dans la famille !

Germaine Lauzon branche l'appareil de radio. On entend des bribes de chapelet. Toutes les femmes s'agenouillent. Après cinq ou six "Ave Maria", on entend un vacarme épouvantable provenant de l'extérieur. Toutes les femmes crient, se lèvent et sortent de la maison en courant.

GERMAINE LAUZON. Mon Dieu, la belle-mère de ma belle-sœur Thérèse qui vient de tomber en bas du troisième étage !

ROSE OUIMET. Vous êtes-vous fait mal, madame Dubuc ?

GABRIELLE JODOIN. Farme-toé donc, Rose. A'doit être au moins morte !

THÉRÈSE DUBUC *(de très loin)*. Etes-vous correcte, madame Dubuc ? *(On entend une espèce de râle.)* Attendez, j'vas enlever la chaise roulante de par-dessus vous, là ! Etes-vous mieux comme ça ? J'vas vous aider à r'monter dans votre chaise. Voyons, madame Dubuc, aidez-vous un peu, restez pas molle de même ! Ayoye !

DES-NEIGES VERRETTE. J'vas aller vous aider, madame Dubuc.

THÉRÈSE DUBUC. Merci, mademoiselle Verrette, vous êtes ben bonne...

Les autres femmes entrent dans la maison.

ROSE OUIMET. Farme donc le radio, Germaine, chus toute énarvée !

GERMAINE LAUZON. Ben, pis ma neuvaine ?

ROSE OUIMET. Où c'est que t'es rendue ?

GERMAINE LAUZON. A sept.

ROSE OUIMET. Sept, c'est pas grave. Tu recommenceras demain, pis samedi prochain, ta neuvaine s'ra finie !

GERMAINE LAUZON. Oui, mais ma neuvaine, c'tait neuf semaines ! *(Entrent Thérèse Dubuc, Des-Neiges Verrette et Olivine Dubuc dans sa chaise roulante.)* Mon Dieu, a pas eu trop de mal, toujours ?

THÉRÈSE DUBUC. Ben non, ben non, est habituée. A'tombe en bas de sa chaise roulante dix fois par jour ! Ouf ! Chus tout essoufflée ! Tirer c'te chaise-là pendant trois étages, c'est pas des farces ! Vous auriez pas quequ'chose à boire, Germaine ?

GERMAINE LAUZON. Gaby, donne donc un verre d'eau à Thérèse ! *(Elle s'approche d'Olivine Dubuc.)* Pis, comment ça va, ma bonne madame Dubuc ?

THÉRÈSE DUBUC. Approchez pas trop, Germaine, a'mord depuis quequ'temps !

Olivine Dubuc essaie effectivement de lui mordre la main.

GERMAINE LAUZON. M'as dire comme vous, Thérèse, est dangereuse ! Ça fait longtemps qu'est comme ça ?

THÉRÈSE DUBUC. Eteindez donc le radio, Germaine, ça me tombe sur les nerfs ! Chus trop énarvée après c'qui vient d'arriver.

Germaine Lauzon ferme la radio à contrecœur.

GERMAINE LAUZON. J'comprends, ma pauvre Thérèse, j'comprends !

THÉRÈSE DUBUC. C'est ben simple, chus rendue au boute ! Au boute ! Vous savez pas la vie que je mène, depuis que j'ai ma belle-mère sur le dos ! Ah ! c'est pas que j'l'aime pas, la pauv'femme, a'fait tellement pitié, mais est malade pis capricieuse sans bon sens ! Y faut toujours la guetter !

DES-NEIGES VERRETTE. Comment ça se fait qu'est pus à l'hôpital ?

THÉRÈSE DUBUC. Oh ! vous comprenez, mademoiselle Verrette, mon mari a eu une augmentation de salaire v'là trois mois, ça fait que le Bien-être social voulait pus payer pour sa mère. On aurait été obligés de payer l'hôpital au grand complet...

MARIE-ANGE BROUILLETTE. Mon doux !

YVETTE LONGPRÉ. C'tu effrayant !

DES-NEIGES VERRETTE. Lâchez-moé donc !

Pendant le récit de Thérèse Dubuc, Germaine Lauzon ouvre les caisses et distribue livrets et timbres.

THÉRÈSE DUBUC. On a été obligés de la retirer. C'est toute une croix, j'vous en passe un papier ! A'l'a quatre-vingt-treize ans, c'te femme-là, y faut pas l'oublier ! Y faut en prendre soin comme un p'tit bébé ! Chus t'obligée de l'habiller, d'la déshabiller, d'la laver...

DES-NEIGES VERRETTE. Doux Jésus !

YVETTE LONGPRÉ. Pauvre vous !

THÉRÈSE DUBUC. Ah ! c'est pas drôle ! T'nez, à matin, encore. J'dis à Paolo, mon plus jeune : "Moman va aller mégasiner, là, garde memére, pis prends-en ben soin." Ben bonyenne, quand chus r'venue, madame Dubuc avait toute renversé le pot de mnasse sur elle pis a jouait d'dans comme une bonne. Naturellement, Paolo avait disparu ! J'ai été obligée de nettoyer la table, le plancher, la chaise roulante...

GERMAINE LAUZON. Pis madame Dubuc, elle ?

THÉRÈSE DUBUC. J'l'ai laissée de même une bonne partie de l'après-midi ! Ça y'apprendra ! A'l'agit comme un bébé, on va la traiter comme un bébé, c'est toute ! Tenez, c'est pas ben ben mêlant, chus t'obligée de la faire manger à p'tite cuiller !

GERMAINE LAUZON. Mon Dieu, Thérèse, que j'vous plains donc !

DES-NEIGES VERRETTE. Vous êtes trop bonne, Thérèse !

GABRIELLE JODOIN. C'est vrai, ça, vous êtes ben que trop bonne !

THÉRÈSE DUBUC. Que voulez-vous, y faut ben gagner son ciel !

MARIE-ANGE BROUILLETTE. On pourra dire que vous l'avez gagné, vot'ciel, vous !

THÉRÈSE DUBUC. Ah ! mais j'me plains pas ! J'me dis que le bon Dieu est bon, pis qu'y va m'aider à passer à travers...

LISETTE DE COURVAL. C'est ben simple, vous m'émouvez jusqu'aux larmes !

THÉRÈSE DUBUC. Ben, voyons donc, madame de Courval, prenez sur vous !

DES-NEIGES VERRETTE. J'ai rien qu'une chose à vous dire, madame Dubuc, vous êtes une sainte femme !

GERMAINE LAUZON. Bon, ben à c't'heure que les timbres pis les livrets sont distribués, là, j'vas aller chercher les plats d'eau, pis on va commencer, hein ? On n'est pas icitte rien que pour placoter ! *(Elle emplit quelques petits plats d'eau et les distribue. Les femmes commencent à coller les timbres.)* Si Linda s'rait là, aussi, a'pourrait m'aider ! *(Elle sort sur la galerie.)* Linda ! Linda ! Aïe, Richard, as-tu vu Linda ? Ben, par exemple ! A'l'a le cœur de téter des liqueurs pendant que j'me désâme ! Veux-tu y dire de v'nir tu-suite icitte, mon trésor ? Tu viendras voir madame Lauzon, demain, pis a'va te donner des pinottes pis des bonbons si y'en reste ! O.K. ? Va, mon cœur, pis dis-y de v'nir tu-suite ! *(Elle rentre.)* La p'tite maudite ! A'm'avait pourtant promis de rester.

MARIE-ANGE BROUILLETTE. C'est toujours de même, les enfants...

THÉRÈSE DUBUC. Ah ! pour ça, c'est ben ingrat !

GABRIELLE JODOIN. Parlez-moé-s'en pas ! C'est pus vivable, chez nous ! Depuis qu'y'a commencé son cours classique, là, mon p'tit Raymond, y'a changé c'est ben effrayant ! On le r'connaît pus ! Y lève quasiment le nez sur nous autres ! V'là rendu qu'y nous parle latin à table ! Y nous fait jouer d'la musique, à part de ça, mes chers enfants, que c'est pas écoutable ! Du classique à cœur de jour ! Pis quand on veut pas regarder l'heure du concert, y nous pique une crise ! Pis si y'a une chose que j'peux pas endurer, c'est ben la musique classique !

ROSE OUIMET. Ouache, moé non plus !

THÉRÈSE DUBUC. C'est pas écoutable, vous avez ben raison. Beding par icitte, bedang par là...

GABRIELLE JODOIN. Raymond nous dit que c'est parce qu'on comprend rien ! J'sais pas c'qu'on peut comprendre là-dedans ! Parce qu'y'apprend toutes sortes de folleries au collège, là, y nous méprise ! J'ai quasiment envie d'le retirer d'là, c'est pas mêlant !

TOUTES LES FEMMES. Que c'est donc ingrat, les enfants, que c'est donc ingrat !

GERMAINE LAUZON. Remplissez vos livrets, là, hein ? Y faut qu'y'en ait partout !

ROSE OUIMET. Ben oui, Germaine, ben oui, on connaît ça, des timbres, c'est pas la première fois qu'on en colle !

YVETTE LONGPRÉ. Vous trouvez pas qu'y commence à faire pas mal chaud, icitte ? On devrait ouvrir le châssis, un peu...

GERMAINE LAUZON. Non, non, non, ça ferait des courants d'air ! J'ai peur à mes timbres !

ROSE OUIMET. Voyons donc, Germaine, c'est pas des moineaux, tes timbres, y s'envoleront pas ! En parlant de moineaux, ça me fait penser, j'ai été voir Bernard, mon plus vieux, dimanche passé... J'ai jamais vu tant d'oiseaux dans une maison ! Une vraie cage à moineaux, c'maison-là ! C'est de sa faute à elle, ça. Une maniaque des oiseaux ! Pis a'veut pas en tuer, a'dit qu'a'l'a le cœur trop tendre ! J'veux ben croire qu'a'l'a le cœur tendre, mais y'a toujours ben des émittes ! Ecoutez ça, ça vaut la peine... *(Projecteur sur Rose Ouimet.)* J'vous dis, c't'une vraie folle ! J'ris, là, pis au fond, c'est pas drôle. Entéka... A Pâques, Bernard a acheté une cage à moineaux pour ses deux p'tits. C't'un gars à'taverne qui avait besoin d'argent pis qui y'a vendu ça pas cher... Elle, quand a'l'a vu ça, est v'nue folle tu-suite, est quasiment tombée en amour avec ses oiseaux ! A'en prenait plus soin que de ses enfants, c'est pas mêlant... Mais v'là-tu pas que les femelles oiseaux se mettent à pondre... Quand les p'tits oiseaux sont arrivés, Manon les trouvait ben cute, pis a's'est mis à dire qu'a'l'avait pas le cœur d'es tuer ! Ça prend-tu une saprée folle ! Ça fait qu'y'es ont toutes gardés ! Toute la gang ! J'sais pas combien y'en a, j'ai jamais essayé d'es compter... Moé, quand j'vas chez eux, là, j'manque de v'nir folle à chaque fois, c'est pas ben ben mêlant ! Vers deux heures, là, a'l'ouvre la cage, pis les oiseaux sortent. Y volent un peu partout dans maison, y se lâchent n'importe où, pis on est obligé de toute nettoyer... Pis là, là, quand vient le temps d'les faire rentrer dans leur cage, y veulent pus, ces oiseaux-là, c'est ben sûr ! Là, Manon crie aux p'tits : "Poignez les oiseaux, là, moman est fatiguée !" Là, les p'tits s'garrochent après les oiseaux... C't'un vrai charivari dans'maison ! Moé, j'sors, c'est pas mêlant ! J'm'en vas sur le balcon pis j'attends qui les aye toutes poignés ! *(Les femmes rient.)* Pis ces enfants-là sont pas tenables ! J'les aime ben, c'est mes p'tits enfants, mais bonyeu qu'y sont tannants ! Nos enfants étaient pas de même, nous autres ! Vous direz c'que vous voudrez, les jeunes d'aujourd'hui savent pas élever leurs enfants !

GERMAINE LAUZON. Ça c'est vrai !

YVETTE LONGPRÉ. Certain !

ROSE OUIMET. Dans not'temps, on n'aurait pas laissé les enfants jouer dans la chambre de bain ! Ben vous auriez dû voir ça dimanche ! D'abord les enfants sont entrés dans la chambre de bain en faisant semblant de rien pis y'ont toute reviré à l'envers ! Moé, j'osais pas parler, Manon dit toujours que j'parle trop ! J'les entendais, pis j'fatiquais, vous comprenez ! Là, y'ont pris le papier de toilette pis y l'ont toute déroulé. Manon a crié : "Voyons, les enfants, moman va se fâcher, là !" Naturellement, c'était comme si a'vait rien dit ! Y'ont continué ! J'les aurais étripés, les p'tits maudits ! Y'avaient l'air d'avoir ben du fun, vous comprenez. Bruno, le plus jeune (c'tu effrayant appeler un enfant de même, moé, j'en r'viens pas encore !)

entéka... Bruno, le plus jeune, est monté dans le bain tout habillé avec le rouleau de papier de toilette déroulé enroulé autour de lui, pis y'a ouvert l'eau... Y trouvait ça drôle à mort, c'est ben sûr ! Y faisait des bateaux avec le papier mouillé, pis l'eau coulait partout ! Le vrai dégât, là ! J'ai été obligée de m'en mêler ! J'leu's'ai donné chacun une bonne fessée sur les fesses pis j'les ai envoyés se coucher !

YVETTE LONGPRÉ. Vous avez ben faite !

ROSE OUIMET. Ç'a faite toute une histoire, mais écoutez donc ! J'étais pas pour les laisser continuer comme ça ! Elle, la niaiseuse, a'l'épluchait les pétates en écoutant le radio ! Eh ! qu'a'l'est donc sans allure, c'te femme-là ! Au fond, a'doit être heureuse, a's'occupe de rien ! J'vous dis, des fois, j'plains assez mon Bernard d'avoir marié ça ! Y'aurait dû rester avec moé, y'était ben mieux....

Elle éclate de rire. L'éclairage redevient normal.

YVETTE LONGPRÉ. Est-tu folle, elle, hein ? Est pas tenable dans les partys ! A'donc le tour de nous faire rire !

GABRIELLE JODOIN. Ah ! pour ça, on a toujours eu du fun dans les partys, avec elle !

ROSE OUIMET. J'ai pour mon dire que, quand c'est le temps de rire, allons-y gaiement ! Même quand j'conte des histoires tristes, j'm'arrange toujours pour les rendre un peu comiques...

THÉRÈSE DUBUC. Vous êtes ben chanceuse de pouvoir dire ça, vous, madame Ouimet. C'est pas tout le monde...

DES-NEIGES VERRETTE. Vous, on comprend ça, vous devez pas avoir le goût de rire ben ben souvent... Vous êtes trop charitable, aussi ! Vous vous occupez trop des autres...

ROSE OUIMET. Pensez donc à vous, des fois, madame Dubuc. Vous sortez jamais.

THÉRÈSE DUBUC. J'ai pas le temps ! Quand c'est que vous voudriez que je sorte ? J'ai pas le temps ! Y faut que j'm'occupe d'elle... Ah ! pis si y'avait rien que ça...

GERMAINE LAUZON. Quoi, donc, Thérèse, dites-moé pas qu'y'a d'aut'chose !

THÉRÈSE DUBUC. Parlez-moé-s'en pas ! Parce que mon mari fait un p'tit peu d'argent, là, on nous prend pour la banque de Jos Violon, dans'famille ! Encore hier, la belle-sœur d'une de mes belles-sœurs est venue pour quêter chez nous. Vous me connaissez, le cœur m'a fondu quand a'm'a conté son histoire, ça fait que j'y ai donné du vieux linge que j'avais pu besoin... Ah ! est-tait ben contente... A'pleurait comme une Madeleine. A'm'a même embrassé les mains.

DES-NEIGES VERRETTE. J'comprends ! Vous le méritiez ben !

MARIE-ANGE BROUILLETTE. Moé, madame Dubuc, j'vous admire !

THÉRÈSE DUBUC. Dites pas ça...

DES-NEIGES VERRETTE. Oui, oui, oui, vous le méritez !

LISETTE DE COURVAL. Certainement, madame Dubuc, vous méritez notre admiration ! Je ne vous oublierai pas dans mes prières, je vous le dis !

THÉRÈSE DUBUC. Ah ! J'ai pour mon dire que si le bon Dieu a mis des pauvres sur la terre, faut les encourager !

GERMAINE LAUZON. Quand vous aurez fini de remplir un livret, là, au lieu d'les entasser sur la table pour rien, j'pense qu'on s'rait mieux d'les mettre dans une des caisses... Rose, viens m'aider, on va vider la caisse des livrets pis on mettra les livrets pleins dedans...

ROSE OUIMET. Ça ben du bon sens ! Bonyeu, y'en a, des livrets ! Faut-tu toute coller ça à soir ?

GERMAINE LAUZON. J'pense qu'on peut. D'abord, tout le monde est pas arrivé, hein, ça fait que...

DES-NEIGES VERRETTE. Qui c'est qui vient à part ça, donc, madame Lauzon ?

GERMAINE LAUZON. Rhéauna Bibeau pis Angéline Sauvé sont supposées de venir après le salon mortuaire. Le mari d'la fille d'une amie d'enfance de mademoiselle Bibeau est mort… Un dénommé monsieur… Baril, j'pense…

YVETTE LONGPRÉ. Pas Rosaire Baril, toujours !

GERMAINE LAUZON. Oui, y'm'semble que c'est ça…

YVETTE LONGPRÉ. Mais j'l'ai ben connu, lui ! J'ai déjà sorti avec ! C'est ben pour dire, hein, j's'rais veuve, aujourd'hui !

GABRIELLE JODOIN. Aïe, les filles, imaginez-vous donc que j'ai trouvé les huit z'erreurs dans le journal d'la semaine passée… C'tait la première fois que ça m'arrivait… Ça fait que j'ai décidé de concourir…

YVETTE LONGPRÉ. Pis, avez-vous gagné quequ'chose, toujours ?

GABRIELLE JODOIN. J'ai-tu l'air de quequ'un qui a déjà gagné quequ'chose !

THÉRÈSE DUBUC. Mais que c'est que vous allez faire avec tous ces timbres-là, donc, Germaine ?

GERMAINE LAUZON. J'vous ai pas conté ça ? J'vas toute meubler ma maison en neuf ! Attendez… Où c'est que j'ai mis le cataloye… Ah ! le v'là ! Regardez ça, Thérèse, j'vas toute avoir c'qu'y'a d'dans !

THÉRÈSE DUBUC. C'est pas creyable ! Tout ça vous coûtera pas une cenne ?

GERMAINE LAUZON. Pas une cenne ! C'est une vraie belle chose, ces concours-là, vous savez !

LISETTE DE COURVAL. C'est pas c'que madame Brouillette disait tout à l'heure…

GERMAINE LAUZON. Comment ça ?

MARIE-ANGE BROUILLETTE. Voyons, madame de Courval !

ROSE OUIMET. Ben quoi, y faut pas avoir peur de ses convictions, madame Brouillette ! Vous disiez tout à l'heure que vous étiez contre les concours parce que y'a rien qu'une famille qui en profite !

MARIE-ANGE BROUILLETTE. C'est vrai, aussi ! Moé, toutes ces histoires de tirages de machines, de voyages, pis de timbres, chus contre !

GERMAINE LAUZON. C'est ben parce que vous avez jamais rien gagné !

MARIE-ANGE BROUILLETTE. Peut-être, peut-être, mais n'empêche que c'est pas juste pareil !

GERMAINE LAUZON. Comment ça, c'est pas juste ? Vous dites ça parce que vous êtes jalouse, c'est toute ! Vous l'avez dit vous-même, que vous étiez jalouse, quand vous êtes arrivée ! J'aime pas les jaloux, moé, madame Brouillette, j'les aime pas pantoute, les jaloux ! Pis si vous voulez le savoir, là, les jaloux, chus pas capable d'les endurer !

MARIE-ANGE BROUILLETTE. D'abord que c'est comme ça, j'm'en vas !

GERMAINE LAUZON. Ben non, ben non, allez-vous-en pas, là ! J'm'excuse... chus toute énarvée, à soir, pis j'sais pus c'que j'dis ! On en parlera pus ! Vous avez le droit de penser c'que vous voulez, après toute, c'est votre droit ! Assisez-vous, là, pis collez...

ROSE OUIMET. A'l'a peur de perdre une colleuse, hein, not'sœur !

GABRIELLE JODOIN. Chut, farme-toé, pis mêle-toé de tes affaires ! T'as toujours le nez fourré où c'est que t'as pas d'affaire !

ROSE OUIMET. T'es ben bête, donc, toé ! T'es pas parlable, à soir !

MARIE-ANGE BROUILLETTE. C'est correct, d'abord, j'vas rester. Mais chus contre pareil !

A partir de ce moment-là, Marie-Ange Brouillette volera tous les livrets de timbres qu'elle remplira. Les autres la verront faire dès le début, sauf Germaine, évidemment, et décideront d'en faire autant.

LISETTE DE COURVAL. J'ai découvert la charade mystérieuse dans le Châtelaine, le mois dernier... C'était bien facile... Mon premier est un félin...

ROSE OUIMET. Un flim ?

LISETTE DE COURVAL. Un félin... bien voyons... "chat"...

ROSE OUIMET. Un chat, c't'un félin...

LISETTE DE COURVAL. Bien... oui...

ROSE OUIMET *(en riant)*. Ben tant pis pour lui !

LISETTE DE COURVAL. Mon second est un rongeur... bien... "rat".

ROSE OUIMET. Mon mari aussi, c't'un rat, pis c'est pas un rongeur... Est-tu folle, elle, avec ses folleries !

LISETTE DE COURVAL. Mon troisième est une préposition.

DES-NEIGES VERRETTE. Une préposition d'amour ?

LISETTE DE COURVAL *(après un soupir)*. Une préposition comme dans la grammaire... "de". Mon tout est un jeu de société...

ROSE OUIMET. La bouteille !

GABRIELLE JODOIN. Farme-toé donc, Rose, tu comprends rien ! *(A Lisette.)* Le scrabble ?

LISETTE DE COURVAL. C'est pourtant pas difficile... Chat-rat-de... Charade !

YVETTE LONGPRÉ. Ah... C'est quoi, ça, une charade ?

LISETTE DE COURVAL. Je l'ai trouvée tout de suite... c'était tellement simple...

YVETTE LONGPRÉ. Pis, avez-vous gagné quequ'chose, toujours ?

LISETTE DE COURVAL. Ah ! j'ai pas envoyé ma réponse... J'ai pas besoin de ça, moi... c'était seulement pour le défi que je l'ai faite... J'ai-tu l'air de quelqu'un qui a de besoin de ces affaires-là, moé... euh, moi ?

ROSE OUIMET. Moé, là, c'est les mots mystérieux, les mots inversés, les mots cachés, les mots croisés, les mots entrecroisés, pis toutes ces affaires-là que j'aime... Chus spécialiste là-dedans ! J'envoye mes réponses partout... Ça me coûte quasiment deux piasses de timbres par semaine, c'est pas ben ben mêlant...

YVETTE LONGPRÉ. Pis, avez-vous déjà gagné quequ'chose, toujours ?

ROSE OUIMET *(en regardant vers Germaine)*. J'ai-tu l'air de quequ'un qui a déjà gagné quequ'chose ?

THÉRÈSE DUBUC. Madame Dubuc, voulez-vous lâcher mon plat d'eau... Bon, ça y'est, a'l'a toute renversé ! Maudit que chus donc tannée !

Elle flanque un coup de poing sur la tête de sa belle-mère qui se tranquillise un peu.

GABRIELLE JODOIN. Bonyeu, vous y allez raide ! Vous avez pas peur d'y faire mal ?

THÉRÈSE DUBUC. Ben non, ben non, est habituée. Pis c'est le seul moyen d'la tranquilliser. C'est mon mari qui a découvert ça ! On dirait que quand on y donne un bon coup de poing sur la tête, ça la paralyse pour quequ'menutes... A reste dans son coin pis on est tranquille...

Noir. Projecteur sur Yvette Longpré.

YVETTE LONGPRÉ. Ma fille Claudette m'a donné le premier étage de son gâteau de noces, quand est revenue de voyage de noces. Vous pensez si j'étais fière ! C'est assez beau, aïe ! C'est fait comme un sanctuaire d'église, tout en sucre ! Y'a un escalier en velours rouge, pis une plate-forme au boute. Là, y'a les mariés. Deux p'tites poupées ben cute, habillées en mariés pis toute. Y'a un prêtre aussi qui les bénit. En arrière de lui, y'a un autel. En sucre. C'est de toute beauté de voir ça ! Le gâteau nous avait coûté assez cher, aussi ! C'tait un gâteau à six étages, vous savez ! C'tait pas toute du gâteau, par exemple. Ç'arait été ben que trop cher ! Y'avait juste les deux du bas en gâteau, le reste, c'tait du bois. Mais ça paraissait pas, par exemple. Ma fille m'a donné l'étage du haut en dessous d'une cloche de verre, toujours. C'est ben beau, mais j'avais peur que le sucre se gâte, à la longue… Vous comprenez, sans air ! Ça fait que j'ai pris le couteau de mon mari exiprès pour couper la vitre, là, pis j'ai fait un trou dans le haut de la cloche. Comme ça, le gâteau va être aéré comme y faut, pis y'aura pas de danger qu'y pourrisse !

DES-NEIGES VERRETTE. Moé aussi j'ai concouru à quequ'chose y'a pas longtemps… Le slogan-mystère que ça s'appelait… Y fallait trouver un slogan pour une librairie… La librairie Hachette… Ça fait que j'en ai trouvé un : "Achète bien, qui achète chez Hachette !" C'est beau, hein ?

YVETTE LONGPRÉ. Pis, avez-vous gagné quequ'chose, toujours ?

DES-NEIGES VERRETTE. J'ai-tu l'air de quelqu'un qui a déjà gagné quequ'chose ?

GERMAINE LAUZON. Ecoute donc, Rose, j't'ai vue couper ton gazon, à matin… Tu devrais t'acheter une tondeuse !

ROSE OUIMET. Ben non ! Les ciseaux, c'est parfait pour moé. Ça m'aide à garder ma shape.

GERMAINE LAUZON. J'te voyais forcer comme une bonne…

ROSE OUIMET. Ça me fait du bien, j'te dis. Pis à part de ça, j'ai pas d'argent pour me payer une tondeuse ! Si j'arais d'l'argent, y'a ben de quoi que j'achèterais avant ça !

GERMAINE LAUZON. Moé, j'vas en avoir, une tondeuse, avec mes timbres…

DES-NEIGES VERRETTE. A'commence à me tomber sur les nerfs avec ses timbres, elle !

Elle cache un livret de timbres dans son sac à main.

ROSE OUIMET. Voyons donc, j'sais pas à quoi ça pourrait te servir, tu restes dans un troisième !

GERMAINE LAUZON. Ah ! ça peut toujours servir ! Pis on sait pas, on peut toujours déménager, hein ?

DES-NEIGES VERRETTE. J'suppose qu'a'va nous dire qu'y faudrait une nouvelle maison pour mettre tout c'qu'a'va avoir avec ses verrats de timbres !

GERMAINE LAUZON. Tu comprends, y nous faudrait une plus grande maison pour mettre tout c'que j'vas avoir avec mes timbres ! *(Des-Neiges Verrette, Marie-Ange Brouillette et Thérèse Dubuc cachent chacune deux ou trois livrets de timbres.)* Si tu veux, j't'la prêterai, ma tondeuse, Rose...

ROSE OUIMET. Jamais ! J'aurais ben qu'trop peur d'la casser ! J's'rais obligée de ramasser des timbres pendant deux ans, après, pour te rembourser !

Les femmes rient.

GERMAINE LAUZON. T'es donc smatte !

MARIE-ANGE BROUILLETTE. Est-tu bonne, celle-là ! cré madame Ouimet, est pas battable !

THÉRÈSE DUBUC. J'ai découvert la voix mystérieuse, au radio, la semaine passée... c'tait la voix à Duplessis... Une vieille voix... C'est mon mari qui l'a trouvée... Ça fait que j'ai envoyé vingt-cinq lettres, là, pis pour me porter chance, j'ai mis le nom de mon p'tit dernier... Paolo Dubuc...

YVETTE LONGPRÉ. Pis, avez-vous gagné quequ'chose, toujours ?

THÉRÈSE DUBUC *(en regardant Germaine)*. J'ai-tu l'air de quequ'un qui a déjà gagné quequ'chose ?

GABRIELLE JODOIN. Vous savez pas c'que mon mari va m'acheter pour ma fête ?

ROSE OUIMET. Deux paires de bas de nylon comme l'année passée, j'suppose ?

GABRIELLE JODOIN. Ben non ! Un manteau de fourrure ! Enfin, pas d'la vraie fourrure, là, mais d'la synthétique. D'abord, moé, j'trouve que ça sert pus à rien d'acheter d'la vraie fourrure. Les imitations sont aussi belles aujourd'hui, pis même, des fois, sont plus belles !

LISETTE DE COURVAL. Moi, je ne trouve pas ça...

ROSE OUIMET. On sait ben, elle, a l'a la grosse étoile de vison !

LISETTE DE COURVAL. Moi, je dis qu'il n'y aura jamais rien pour remplacer la vraie fourrure véritable. D'ailleurs, j'vais changer mon étole de vison, l'automne prochaine. Ça fait trois ans que je l'ai, puis elle commence à être pas mal maganée... Ah ! est encore bonne, mais...

ROSE OUIMET. Farme donc ta grande yueule, maudite menteuse ! On le sait que ton mari se fend le cul en quatre pour pouvoir emprunter de l'argent pour te payer des fourrures pis des voyages ! C'est pas plus riche que nous autres pis ça pète plus haut que son trou ! J'ai mon verrat de voyage !

LISETTE DE COURVAL. Si votre mari serait intéressé d'acheter mon étole, madame Jodoin, je lui vendrais pas cher. Comme ça, vous auriez du vrai vison. J'ai pour mon dire qu'entre s'amis...

YVETTE LONGPRÉ. Moé, j'ai envoyé mes réponses aux "objets grossis"... Ben, vous savez, là, les affaires qu'y posent de proche-proche-proche, là, pis qu'y faut deviner c'est quoi... Ben, j'les ai trouvés... Y'avait une avis, un tourne-avis... pis un grand crochet tout croche...

LES AUTRES FEMMES. Pis...

Yvette Longpré se contente de regarder Germaine et se rassoit.

GERMAINE LAUZON. L'autre jour, Daniel, le p'tit de madame Robitaille, est tombé en bas du deuxième. Y s'est même pas faite une égratignure ! C'est ben pour dire, hein ?

MARIE-ANGE BROUILLETTE. Faut dire aussi qu'y'tombé dans le hamac de madame Dubé, pis que monsieur Dubé dormait dans le hamac quand le p'tit est tombé...

GERMAINE LAUZON. Eh oui, pis monsieur Dubé est à l'hôpital ! Y'en a pour trois mois...

DES-NEIGES VERRETTE. Ça me fait penser à une histoire, en parlant d'accident...

ROSE OUIMET. Quelle, donc, mademoiselle Verrette ?

DES-NEIGES VERRETTE. Ah ! est trop osée, j'oserais pas...

ROSE OUIMET. Envoyez donc, mademoiselle Verrette ! D'abord, on le sait que vous en savez ben, des histoires sucrées.

DES-NEIGES VERRETTE. Non, ça me gêne, à soir, j'sais pas pourquoi...

GABRIELLE JODOIN. Voyons donc, mademoiselle Verrette, faites-vous pas prier pour rien là... D'abord, vous savez ben que vous allez finir par nous la conter, vot'histoire...

DES-NEIGES VERRETTE. Bon... correct, d'abord... C't'ait une religieuse qui s'était faite violer dans une ruelle...

ROSE OUIMET. Ça commence ben !

DES-NEIGES VERRETTE. Ça fait que le lendemain, on la retrouve dans le fond d'une cour, toute effouerrée, la robe r'montée par-dessus la tête... A'gémissait sans bon sens, vous comprenez... Ça fait qu'y'a un journaliste qui s'approche pis qui y demande : "Pourriez-vous, ma sœur, nous donner quelques impressions sur la chose horrible qui vient de vous arriver ?" Ça fait que la sœur ouvre les yeux pis murmure : "Encore ! Encore !"

Toutes les femmes éclatent de rire, sauf Lisette de Courval qui semble scandalisée et Yvette Longpré qui ne comprend pas l'histoire.

ROSE OUIMET. Ah ! ben est bonne en écœurant, celle-là ! Ça fait longtemps que j'en avais pas entendu une bonne de même... C'est pas mêlant, j'en braille ! cré mademoiselle Verrette, j'me d'mande où c'est que vous prenez toute ça, ces histoires-là...

GABRIELLE JODOIN. Tu sais ben que c'est son commis voyageur.

DES-NEIGES VERRETTE. Madame Jodoin, j'vous en prie !

ROSE OUIMET. Ah ! oui, c'est vrai, son commis voyageur...

LISETTE DE COURVAL. Je ne comprends pas.

GABRIELLE JODOIN. Y'a un commis voyageur qui vient vendre des brosses à mademoiselle Verrette tous les mois... J'pense qu'a'le trouve de son goût...

DES-NEIGES VERRETTE. Madame Jodoin, franchement !

ROSE OUIMET. En tous les cas, on peut dire que mademoiselle Verrette est la mieux grayée en fait de brosses, dans la paroisse ! J'l'ai justement vu, vot'commis voyageur, l'aut'jour, mademoiselle Verrette... Y'était au restaurant... Y'a ben dû aller vous voir ?

DES-NEIGES VERRETTE. Oui, y'est venu... Mais j'vous assure qu'y'a rien entre moé pis lui, par exemple !

ROSE OUIMET. On dit ça...

DES-NEIGES VERRETTE. Hon ! mon Dieu, madame Ouimet, des fois, j'trouve que vous avez la tête assez croche ! Vous voyez toujours du mal où c'est qu'y'en a pas ! C't'un bon garçon, monsieur Simard !

ROSE OUIMET. Reste à savoir si vous, vous êtes une bonne fille ! Ben non, ben non, mademoiselle Verrette, fâchez-vous pas, là ! Vous savez ben que j'dis ça rien que pour vous étriver !

DES-NEIGES VERRETTE. Vous m'avez faite assez peur ! Moé, une demoiselle si respectable ! Henri... euh... monsieur Simard m'a justement parlé d'un projet quand y'est venu... J'ai une invitation à vous faire de sa part, à tout le monde... Y voudrait que j'organise une démonstration, la semaine prochaine... Y m'a choisie parce qu'y connaît ma maison... Ça s'rait pour dimanche en huit... Après le chapelet. Y faut que j'ramasse au moins dix personnes pour avoir mon cadeau... Vous savez, y donne des belles tasses fancies à celle qui fait la démonstration... Des vraies belles tasses de fantaisie... Vous devriez les voir, sont assez belles ! C'est des souvenirs qu'y'a rapportés des chutes Niagara... Y'a dû payer ça ben cher...

ROSE OUIMET. On va y'aller certain ! Hein, les filles ? Moé, j'aime assez ça, des démonstrations ! Y va-tu y avoir des prix de présence ?

DES-NEIGES VERRETTE. Ben, j'sais pas, là. Mais y devrait. Y devrait... Pis j'vas faire un p'tit lunch...

ROSE OUIMET. Ça va être mieux qu'icitte ! J'ai pas encore vu le bout du nez d'une bouteille de liqueur !

Olivine Dubuc essaie de mordre sa belle-fille.

THÉRÈSE DUBUC. Encore ! Madame Dubuc, si vous continuez, j'vas vous enfermer dans les toilettes, pis vous allez rester là toute la soirée !

Noir. Projecteur sur Des-Neiges Verrette.

DES-NEIGES VERRETTE. La première fois que j'l'ai vu, j'l'ai trouvé ben laid... C'est vrai qu'y'est pas beau tu-suite ! Quand y'a ouvert la porte, y'a enlevé son chapeau, pis y m'a dit : "Seriez-vous intéressée pour acheter des brosses, ma bonne dame ?" J'y ai fermé la porte au nez ! J'laisse jamais rentrer d'homme dans la maison ! On sait jamais c'qui peut arriver... Y'a rien que le p'tit gars de La Presse que j'laisse rentrer. Lui, y'est trop jeune, encore, y pense pas à mal. Un mois après, mon gars des brosses est revenu. Y faisait une tempête de neige à tout casser, ça fait que j'l'ai laissé rentrer dans le portique. Un coup qu'y'a été rendu dans'maison, j'ai eu peur, mais j'me sus dit qu'y'avait pas l'air méchant, même si y'était pas ben beau... Y'est toujours sur son trente-six, pas un cheveu qui dépasse... Un vrai monsieur ! Pis tellement ben élevé ! Y m'a vendu deux-trois brosses, toujours, pis y m'a montré son cataloye. Y'en avait une qui m'intéressait, mais y l'avait pas avec lui, ça fait qu'y m'a dit que je pouvais donner une commande. Pis y'est r'venu chaque mois depuis c'temps-là. Des fois, j'achète rien. Y vient juste jaser quequ'menutes. Y'est tellement fin ! Quand y parle, on oublie qu'y'est laid ! Pis y sait tellement de choses intéressantes ! Aïe, y voyage à tous les coins d'la province, c't'homme-là ! J'pense... j'pense que je l'aime... J'sais que ç'a pas d'allure, j'le vois rien qu'une fois par mois, mais on est si ben ensemble ! Chus tellement heureuse quand y est là ! C'est la première fois que ça m'arrive ! C'est la première fois ! Les hommes se sont jamais occupés de moé, avant. J'ai toujours été une demoiselle... seule. Lui, y m'raconte ses voyages, y m'raconte des histoires... Des fois, sont pas mal sales, mais sont tellement drôles ! Pis y faut dire que j'ai toujours aimé les histoires un peu salées... J'trouve que ça fait du bien de conter des histoires cochonnes, des fois... Ah ! sont pas toutes cochonnes, ses histoires, ah ! non, y'en a des correctes ! Des histoires osées, ça fait pas longtemps qu'y m'en conte... Des fois, sont tellement cochonnes, que j'rougis. La dernière fois qu'y'est v'nu, y m'a pris la main parce que j'avais rougi. J'ai manqué v'nir folle ! Ça m'a toute revirée à l'envers de sentir sa grosse main su'a mienne ! J'ai besoin de lui, à c't'heure ! J'voudrais pas qu'y s'en aille pour toujours... Des fois, j'rêve, mais pas souvent ! J'rêve... qu'on est mariés. J'ai besoin qu'y vienne me voir ! C'est le premier homme qui s'occupe de moé ! J'veux pas le pardre ! J'veux pas le pardre ! Si y s'en va, j'vas rester encore tu-seule, pis j'ai besoin... d'aimer... *(Elle baisse les yeux et murmure.)* J'ai besoin d'un homme.

Les projecteurs se rallument. Entrent Linda Lauzon, Ginette Ménard et Lise Paquette.

GERMAINE LAUZON. Ah ! te v'là, toé ! Y'est quasiment temps !

LINDA LAUZON. J'étais au restaurant...

GERMAINE LAUZON. Je le sais ben que trop ben, que t'étais au restaurant ! Continue à fréquenter les restaurants du coin, ma p'tite fille, pis tu vas finir comme ta tante Pierrette : dans une maison mal farmée !

LINDA LAUZON. Voyons donc, moman, vous faites des drames avec rien !

GERMAINE LAUZON. J't'avais demandé de rester...

LINDA LAUZON. J'étais rien qu'allée chercher des cigarettes, mais j'ai rencontré Lise pis Ginette...

GERMAINE LAUZON. C'est pas une raison ! Tu savais que j'recevais, à soir, pour que c'est faire que t'es pas revenue tu-suite ? Tu fais exprès pour me faire damner, Linda, tu fais exprès pour me faire damner ! Tu veux me faire sacrer devant le monde ! Hein, c'est ça, tu veux me faire sacrer devant le monde ? Ben Christ, tu vas avoir réussi ! Mais t'as pas fini avec moé, ma p'tite fille ! Tu perds rien pour attendre, Linda Lauzon, j't'en passe un papier !

ROSE OUIMET. C'est pas le temps d'la chicaner, Germaine !

GABRIELLE JODOIN. Toé, mêle-toé pas encore des affaires des autres !

LINDA LAUZON. Quand même que j's'rais un peu en r'tard, mon Dieu, c'est pas la fin du monde !

LISE PAQUETTE. C'est de not'faute, madame Lauzon !

GINETTE MÉNARD. Oui, c'est de not'faute !

GERMAINE LAUZON. Je le sais que c'est de vot'faute ! J'y ai pourtant dit à Linda de pas fréquenter les coureuses de restaurant ! Mais non, a'fait toute pour me contrarier ! C'est ben simple, des fois, j'l'étriperais !

ROSE OUIMET. Voyons, Germaine...

GABRIELLE JODOIN. Rose, j't'ai dit de te mêler de tes affaires ! M'as-tu compris ! Leurs affaires, ça te r'garde pas !

ROSE OUIMET. T'es donc ben fatiquante, toé ! Achale-moi donc pas ! On n'est pas pour laisser Germaine chicaner Linda pour rien !

GABRIELLE JODOIN. C'est pas de nos affaires !

LINDA LAUZON. Laissez-la donc me défendre, vous, ma tante !

GABRIELLE JODOIN. Linda, sois polie avec ta marraine si tu l'es pas avec ta mère !

GERMAINE LAUZON. Tu vois comment c'est qu'a'l'est ! C'est toujours de même, avec elle ! C'est pourtant pas comme ça que je l'ai élevée !

ROSE OUIMET. Parlons-en d'la manière que t'élèves tes enfants !

GERMAINE LAUZON. Ah ! ben, toé, par exemple, t'as rien à dire... Tes enfants...

LINDA LAUZON. Allez-y, ma tante, donnez-y, une fois pour toutes ! Vous êtes capable d'y parler, à ma mère, vous !

GERMAINE LAUZON. Que c'est qui te prend, toé, tout d'un coup, de te mettre du côté de ta tante Rose ? Que c'est que t'as dit, quand a'l'a téléphoné, à soir, hein, que c'est que t'as dit ? T'en rappelles-tu de que c'est que t'as dit ?

LINDA LAUZON. C'tait pas pareil...

ROSE OUIMET. Quoi que c'est qu'a'l'a dit, donc ?

GERMAINE LAUZON. Ben, c'est elle qui a répond, quand t'as téléphoné, hein ? Pis a'l'a pas dit "Un instant s'il vous plaît", ça fait que j'y ai dit d'être plus polie avec toé...

LINDA LAUZON. Moman, voyons, taisez-vous donc ! C'est pas nécessaire...

ROSE OUIMET. Je veux le savoir, de que c'est que t'as dit, Linda !

LINDA LAUZON. Ça comptait pas, ma tante, j'étais en maudit !

GERMAINE LAUZON. A'l'a dit : "C'est rien que ma tante Rose, j'sais pas pourquoi j's'rais polie avec elle !"

ROSE OUIMET. Ah ! ben par exemple... J'ai mon voyage !

LINDA LAUZON. J'vous le dis, ma tante, j'tais en maudit !

ROSE OUIMET. J'te pensais pas de même, Linda ! Tu me désappointes, tu me désappointes ben gros, ma p'tite fille !

GABRIELLE JODOIN. Voyons donc, Rose, laisse-les donc se chicaner tu-seules !

ROSE OUIMET. Certain que j'vas les laisser se chicaner ! Envoye, vas-y, Germaine, manque-la pas, ta fille ! Est-tu mal élevée, c't'enfant-là, rien qu'un peu ! M'as dire comme ta mère, tu vas finir comme ta tante Pierrette, si tu continues, ma fille ! Si j'me r'tenais pas, j'y mettrais ma main dans'face !

GERMAINE LAUZON. J'voudrais ben voir ça ! Que j'te voye donc toucher à mes enfants ! Moé, j'ai le droit de les fesser, mais y'a personne qui va leu'toucher, par exemple !

THÉRÈSE DUBUC. Arrêtez donc un peu de vous disputer, chus fatiquée, moé !

DES-NEIGES VERRETTE. Ben oui, c'est fatiquant !

THÉRÈSE DUBUC. Vous allez réveiller ma belle-mère, pis a'va recommencer à nous achaler !

GERMAINE LAUZON. C'était d'la laisser chez vous, aussi, vot'belle-mère !

THÉRÈSE DUBUC. Germaine Lauzon !

GABRIELLE JODOIN. Ben quoi ! A'l'a raison ! On va pas dans une veillée avec une vieille de quatre-vingt-treize ans !

LISETTE DE COURVAL. C'est vous, madame Jodoin, qui disiez à votre sœur de se mêler de ses affaires, tout à l'heure !

GABRIELLE JODOIN. Ah ! ben, vous, par exemple, la pincée, lâchez-moé lousse ! Collez vos timbres, pis farmez-la ben juste, parce que sans ça, m'en va a vous la fermer ben juste, moé !

Lisette de Courval se lève.

LISETTE DE COURVAL. Gabrielle Jodoin !

Olivine Dubuc, qui joue depuis quelques instants avec un plat d'eau, l'échappe par terre.

THÉRÈSE DUBUC. Madame Dubuc, attention !

GERMAINE LAUZON. Maudite marde ! Mon dessus de table !

ROSE OUIMET. A'm'a toute arrosée, la vieille chipie !

THÉRÈSE DUBUC. C'est pas vrai ! Vous étiez trop loin !

ROSE OUIMET. C't'aussi ben de me dire en pleine face que ch't'une maudite menteuse !

THÉRÈSE DUBUC. Oui, vous êtes rien qu'une maudite menteuse, Rose Ouimet !

GERMAINE LAUZON. Attention à votre belle-mère, a'va tomber !

DES-NEIGES VERRETTE. Ça y'est, la v'là encore à terre !

THÉRÈSE DUBUC. V'nez m'aider, quelqu'un !

ROSE OUIMET. Pas moé, en tout cas !

GABRIELLE JODOIN. Ramassez-la tu-seule !

DES-NEIGES VERRETTE. J'vas vous aider, moé, madame Dubuc.

THÉRÈSE DUBUC. Merci, mademoiselle Verrette...

GERMAINE LAUZON. Pis toé, Linda, t'as besoin de filer doux pour le restant d'la soirée...

LINDA LAUZON. J'ai ben envie de sacrer mon camp...

GERMAINE LAUZON. Fais ça, ma p'tite maudite, pis tu r'mettras pus jamais les pieds icitte !

LINDA LAUZON. On les connaît, vos menaces !

LISE PAQUETTE. Arrête donc, Linda...

THÉRÈSE DUBUC. T'nez-vous donc un peu, madame Dubuc, raidissez-vous ! Faites pas exiprès pour vous tenir molle !

MARIE-ANGE BROUILLETTE. J'vas tirer la chaise...

THÉRÈSE DUBUC. Merci ben...

ROSE OUIMET. Moé, à sa place, j'pousserais la chaise pis...

GABRIELLE JODOIN. R'commence pas, Rose !

THÉRÈSE DUBUC. Eh ! qu'on a d'la misère...

GABRIELLE JODOIN. R'garde la de Courval qui continue à coller ses timbres... La maudite pincée ! A s'occupe de rien ! On n'est pas assez intéressantes pour elle, j'suppose !

Noir. Projecteur sur Lisette de Courval.

LISETTE DE COURVAL. On se croirait dans une basse-cour ! Léopold m'avait dit de ne pas venir ici, aussi ! Ces gens-là sont pus de notre monde ! Je regrette assez d'être venue ! Quand on a connu la vie de transatlantique pis qu'on se retrouve ici, ce n'est pas des farces ! J'me revois, là, étendue sur une chaise longue, un bon livre de Magali sur les genoux... Pis le lieutenant qui me faisait de l'œil... Mon mari disait que non, mais y'avait pas tout vu ! Une bien belle pièce d'homme ! J'aurais peut-être dû l'encourager un peu plus... Puis l'Urope ! Le monde sont donc bien élevés par là ! Sont bien plus polis qu'ici ! On en rencontre pas des Germaine Lauzon, par là ! Y'a juste du grand monde ! A Paris, tout le monde perle bien, c'est du vrai français partout... C'est pas comme icitte... J'les méprise toutes ! Je ne remettrai jamais les pieds ici ! Léopold avait raison, c'monde-là, c'est du monde *cheap,* y faut pas les fréquenter, y faut même pas en parler, y faut les cacher ! Y savent pas vivre ! Nous autres on est sortis de là, pis on devrait pus jamais revenir ! Mon Dieu que j'ai donc honte d'eux autres !

Les lumières se rallument.

LINDA LAUZON. Bon, ben salut, j'm'en vas...

GERMAINE LAUZON. Tu le fais exiprès ! J't'avertis, Linda...

LINDA LAUZON. "J't'avertis, Linda", c'est toute c'que vous êtes capable de dire, ça, moman !

LISE PAQUETTE. Fais pas la folle, Linda !

GINETTE MÉNARD. Reste donc !

LINDA LAUZON. Non, j'm'en vas ! J'ai pas envie qu'a'continue à me crier des bêtises de même toute la soirée !

GERMAINE LAUZON. Linda, j't'ordonne de rester icitte !

VOIX D'UNE VOISINE. Allez-vous arrêter de crier, en haut ? On s'entend pus !

Rose Ouimet sort sur la galerie.

ROSE OUIMET. Rentrez donc dans vot'maison, vous !

LA VOISINE. C'est pas à vous que j'parlais !

ROSE OUIMET. Oui, c't'à moé, j'crie aussi fort que les autres !

GABRIELLE JODOIN. Rentre donc, Rose !

DES-NEIGES VERRETTE. Occupez-vous-en donc pas !

LA VOISINE. J'vas appeler la police !

ROSE OUIMET. C'est ça, appelez-la, on manque justement d'hommes !

GERMAINE LAUZON. Rose Ouimet, rentre dans'maison ! Pis toé, Linda...

LINDA LAUZON. J'm'en vas. Salut !

Elle sort avec Ginette et Lise.

GERMAINE LAUZON. Est partie ! Est partie ! Ça se peut-tu ? C'est pas possible ! A'veut me faire mourir ! Y faut que j'casse quequ'chose ! Y faut que j'casse quequ'chose !

ROSE OUIMET. Voyons, prends su'toé, Germaine !

GERMAINE LAUZON. Me faire honte de même devant tout le monde ! *(Elle éclate en sanglots.)* C'est ben simple... j'ai assez honte...

GABRIELLE JODOIN. C'est pas si pire que ça, Germaine...

VOIX DE LINDA. Ah ! ben, si c'est pas mademoiselle Sauvé. Allô !

VOIX D'ANGÉLINE SAUVÉ. Bonsoir ma belle fille, comment ça va ?

ROSE OUIMET. Les v'lon ! Mouche-toé, Germaine !

VOIX DE LINDA LAUZON. Ça va pas mal...

VOIX DE RHÉAUNA BIBEAU. Où c'est que vous allez, de même ?

LINDA LAUZON. J'm'en allais au restaurant, mais à c't'heure que vous êtes là, j'pense que j'vas rester !

Entrent Linda, Ginette, Lise, Rhéauna et Angéline.

ANGÉLINE SAUVÉ. Bonsoir tout le monde !

RHÉAUNA BIBEAU. Bonsoir.

LES AUTRES. Bonsoir, bonsoir, comment ça va ?

RHÉAUNA BIBEAU. J'vous dis que vous restez haut vrai, madame Lauzon ! Chus tout essoufflée !

GERMAINE LAUZON. Assisez-vous donc...

ROSE OUIMET. Vous êtes essoufflée ? C'est pas ben grave... Vous allez voir ça, ma sœur, a'va faire poser un élévateur avec ses timbres.

Les femmes rient, sauf Rhéauna et Angéline qui ne savent pas comment prendre cette phrase.

GERMAINE LAUZON. T'es donc drôle, Rose Ouimet ! Linda, va chercher d'aut'chaises...

LINDA LAUZON. Où, ça ? Y'en a pus !

GERMAINE LAUZON. Va demander à madame Bergeron si a'pourrait pas nous en passer quequ's-unes...

LINDA LAUZON. V'nez, les filles...

GERMAINE LAUZON *(bas à Linda)*. On fait la paix pour à soir, mais attends que la visite soit partie...

LINDA LAUZON. Vous me faites pas peur ! Si chus rev'nue, c'est parce que mademoiselle Sauvé pis mademoiselle Bibeau sont arrivées, c'est pas parce que j'avais peur de vous !

Linda sort avec Lise et Ginette.

DES-NEIGES VERRETTE. Prenez ma chaise, mademoiselle Bibeau...

THÉRÈSE DUBUC. Ben oui, v'nez vous asseoir à côté de moé, un peu...

MARIE-ANGE BROUILLETTE. Assisez-vous icitte, mademoiselle Bibeau.

ANGÉLINE SAUVÉ ET RHÉAUNA BIBEAU. Merci, merci bien.

RHÉAUNA BIBEAU. Vous collez des timbres, à ce que je vois ?

GERMAINE LAUZON. Ben oui. Y'en a un million !

RHÉAUNA BIBEAU. Seigneur Dieu ! Etes-vous rendues loin ?

ROSE OUIMET. Pas mal, pas mal... Moé, j'ai la langue toute paralysée...

RHÉAUNA BIBEAU. Vous collez ça avec vot'langue ?

GABRIELLE JODOIN. Ben non, voyons, c'tait une farce plate !

ROSE OUIMET. A'comprend toujours aussi vite, la Bibeau !

ANGÉLINE SAUVÉ. On va vous donner un p'tit coup de main...

ROSE OUIMET *(avec un rire gras)*. J'ai eu peur, j'pensais qu'a'voulait nous donner un coup de langue...

GABRIELLE JODOIN. T'es donc vulgaire, Rose !

GERMAINE LAUZON. Pis, toujours, le salon mortuaire ?

Noir. Projecteur sur Angéline Sauvé et Rhéauna Bibeau.

RHÉAUNA BIBEAU. Moé, c'est ben simple, ça m'a donné un coup...

ANGÉLINE SAUVÉ. Tu le connaissais pas tellement, pourtant !

RHÉAUNA BIBEAU. J'ai ben connu sa mère ! Toé aussi, tu t'en rappelles, on allait à l'école ensemble ! J'l'ai vu grandir, c't'homme-là...

ANGÉLINE SAUVÉ. Eh oui ! Pis tu vois, y'est parti. Pis nous autres, on est encore là...

RHÉAUNA BIBEAU. Ah ! mais ça s'ra pas long, par exemple...

ANGÉLINE SAUVÉ. Voyonc, donc, Rhéauna...

RHÉAUNA BIBEAU. J'sais c'que j'dis ! Ça se sent quand la fin vient ! Après tout c'que j'ai enduré !

ANGÉLINE SAUVÉ. Ah ! pour ça, on pourra dire qu'on a souffert, toutes les deux...

RHÉAUNA BIBEAU. J'ai souffert ben plus que toé, Angéline ! Dix-sept s'opérations ! J'ai pus rien qu'un poumon, un rein, un sein... Ah ! j'en ai-tu arraché, rien qu'un peu...

ANGÉLINE SAUVÉ. Moé, j'ai mon arthrite qui me lâche pas ! Mais madame... comment c'est qu'a's'appelle, donc... entéka. La femme du mort, a'm'a donné une recette... y paraît que c'est merveilleux !

RHÉAUNA BIBEAU. Tu sais ben que t'as toute essayé ! Les docteurs t'ont dit qu'y'avait rien pour ça ! Ça se guérit pas, l'arthrite !

ANGÉLINE SAUVÉ. Les docteurs, les docteurs, j'te dis que j'les ai loin, à c't'heure ! Ça pense rien qu'à la piasse, les docteurs ! Ça égorge le pauvre monde, pis ça va passer l'hiver en Califournie ! T'sais, Rhéauna, le docteur, y y'avait dit qu'y guérirait, à monsieur... c'est quoi, donc, son nom, au mort ?

RHÉAUNA BIBEAU. Monsieur Baril...

ANGÉLINE SAUVÉ. Ah ! oui, j'm'en rappelle jamais ! C'est pourtant pas compliqué ! Bon, ben son docteur y'avait dit qu'y'avait pas besoin d'avoir peur, à monsieur Baril... Pis tu vois... à peine quarante ans...

RHÉAUNA BIBEAU. Quarante ans ! C'est jeune, pour mourir !

ANGÉLINE SAUVÉ. Y'est parti ben vite...

RHÉAUNA BIBEAU. A'm'a toute conté comment ça s'était passé. C'est assez triste !

ANGÉLINE SAUVÉ. Oui ? J'étais pas là quand a't'a'conté ça... Comment c'est arrivé, donc ?

RHÉAUNA BIBEAU. Quand y'est rentré de travailler, lundi soir, a'l'a trouvé ben changé. A'y'a demandé si y se sentait pas ben, y'était blanc comme un linge. Y'a dit que non. Y'ont commencé à souper... Les enfants se disputaient à table, ça fait que monsieur Baril s'est fâché pis y'a été obligé de punir sa Rolande... Y'était pas mal caduc après, tu comprends... Elle, a'le regardait sans arrêter. A'l'observait. A'm'a dit que ça s'était passé tellement vite qu'a'l'a pas eu le temps de rien faire. Y'a dit tout d'un coup qu'y se sentait drôle, pis y'est tombé le nez dans sa soupe. C'tait fini !

ANGÉLINE SAUVÉ. Doux Jésus ! C'est donc effrayant ! Si vite que ça ! Moé, c'est ben simple, ça me donne la chair de poule ! C'est donc effrayant !

RHÉAUNA BIBEAU. Tu peux le dire ! On le sait jamais quand est-ce que c'est que le bon Dieu va venir nous chercher ! Y l'a dit lui-même : "Je viendrai comme un voleur."

ANGÉLINE SAUVÉ. Ça me fait assez peur, ces histoires-là ! Moé, j'voudrais pas mourir de même ! J'veux mourir dans mon lit... avoir le temps de me confesser...

RHÉAUNA BIBEAU. Pour ça, non, j'voudrais pas mourir sans me confesser ! Angéline, promets-moé que tu vas faire v'nir le prêtre quand j'vas me sentir mal ! Promets-moé-lé !

ANGÉLINE SAUVÉ. Ben oui, ben oui, ça fait cent fois que tu me le demandes ! J'l'ai fait v'nir, le prêtre, la dernière fois que t'as eu une attaque ! T'as communié pis toute !

RHÉAUNA BIBEAU. J'ai tellement peur de mourir sans recevoir les derniers sacrements !

ANGÉLINE SAUVÉ. Pour les péchés que tu peux faire !

RHÉAUNA BIBEAU. Dis pas ça, Angéline, dis pas ça ! Y'a pas d'âge pour faire des péchés !

ANGÉLINE SAUVÉ. Moé, chus ben sûre que tu vas aller au paradis tout dret, Rhéauna. T'as pas besoin d'avoir peur ! Hon ! As-tu vu la fille du mort si a'l'était changée ? Une vraie morte !

RHÉAUNA BIBEAU. J'comprends ! Pauvre Rolande ! A'dit à tout le monde que c'est elle qui a tué son père ! Tu comprends, c'est à cause d'elle si y s'est fâché, à table... A'fait donc pitié... Pis sa mère, à c't'heure ! Ah ! c'est un ben grand malheur ! Ça va faire un grand trou ! C't'un gros morceau qu'y perdent là !

ANGÉLINE SAUVÉ. J'comprends ! Le père ! R'marque que c'est moins pire que la mère, mais ça fait rien...

RHÉAUNA BIBEAU. Oui, c'est vrai, une mère, c'est pire ! Une mère, ça se remplace pas !

ANGÉLINE SAUVÉ. As-tu vu si y l'ont ben arrangé, le mort, hein ? Y'avait l'air d'un vrai jeune homme ! Y souriait... On aurait dit qu'y dormait. Mais au fond, y'est ben mieux oùsqu'y'est là... M'as dire comme on dit, c'est les ceuses qui restent qui sont les plus à plaindre ! Lui, y'est ben, à c't'heure... Ah ! mais j'en r'viens pas si y'était ben grimé ! Y'avait l'air vivant.

RHÉAUNA BIBEAU. Eh oui ! Mais y l'était pas.

ANGÉLINE SAUVÉ. Mais j'sais pas pourquoi y y'avaient mis c't'habit-là, par exemple...

RHÉAUNA BIBEAU. Comment ça ?

ANGÉLINE SAUVÉ. T'as pas remarqué ? Y'avait une habit bleue ! Ça se fait pas ! Un mort, c't'un mort ! Une habit bleue, c'est ben que trop pâle ! Si au moins a'l'avait été bleu marin, mais non, c't'ait quasiment bleu poudre ! Un mort, ça doit porter une habit noire !

RHÉAUNA BIBEAU. Y'en avait peut-être pas ! C'est pas du monde ben riche !

ANGÉLINE SAUVÉ. Mon Dieu Seigneur, une habit noire, ça se loue ! C'est comme la sœur de madame Baril ! Une robe verte ! En plein salon mortuaire ! Pis a'l'a-tu vieilli, rien qu'un peu ! A'vait l'air ben plus vieille que sa sœur...

RHÉAUNA BIBEAU. A'l'est, aussi.

ANGÉLINE SAUVÉ. Voyons donc, Rhéauna, est ben plus jeune !

RHÉAUNA BIBEAU. Ben non !

ANGÉLINE SAUVÉ. Ben oui, Rhéauna, écoute ! Madame Baril a dans les trente-sept trente-huit ans, pis elle...

RHÉAUNA BIBEAU. A'l'a plus de quarante ans !

ANGÉLINE SAUVÉ. Voyons donc, Rhéauna !

RHÉAUNA BIBEAU. Moé, j'y donnerais ben quarante-cinq ans...

ANGÉLINE SAUVÉ. C'est ça que j'te dis, a'l'a vieilli, a'l'a l'air plus vieille que son âge... Ecoute, ma belle-sœur Rose-Aimée a trente-six ans pis y'ont été à l'école ensemble...

RHÉAUNA BIBEAU. Entéka, ça me surprend pas qu'a'vieillisse si vite... Avec la vie qu'a'mène...

ANGÉLINE SAUVÉ. J'sais pas si c'est ben vrai, toutes ces histoires-là…

RHÉAUNA BIBEAU. Ça doit ! Madame Baril, elle, a'l'essaye de cacher ça, c'est sa sœur… mais tout finit par se savoir ! C'est comme madame Lauzon, avec sa sœur Pierrette ! Si y'a quelqu'un que j'peux pas sentir, c'est ben Pierrette Guérin ! Une vraie dévergondée ! Une vraie honte pour sa famille ! J'te dis, Angéline, que j'voudrais pas voir son âme, elle ! A'doit être noire, rare !

ANGÉLINE SAUVÉ. Voyons, Rhéauna, au fond, Pierrette, c'est pas une mauvaise fille !

Un projecteur s'allume sur Germaine Lauzon.

GERMAINE LAUZON. Ma sœur Pierrette, ça fait longtemps que j'l'ai reniée ! Après toute c'qu'a'nous a faite ! Est-tait si fine, quand est-tait p'tite ! Pis belle ! Quand on dit une vraie catin ! Ah ! on l'a ben aimée, moé, pis mes sœurs ! On la gâtait sans bon sens ! Mais pour que c'est faire… J'comprends pas ! J'comprends pas ! Le pére, à'maison, l'appelait sa p'tite pourrite ! Y l'aimait donc, sa Pierrette ! Quand y'a prenait sur ses genoux, là on sentait qu'y'était heureux ! Nous autres, on n'était pas jalouses…

ROSE OUIMET. On se disait : "C'est la plus jeune. C'est toujours comme ça, c'est les plus jeunes qui sont les préférés…" Quand a'l'a commencé à aller à l'école, on l'a habillée comme une princesse ! J'étais déjà mariée, moé, j'm'en rappelle comme si c'était hier ! Eh ! qu'a'l'était donc belle ! Une vraie Shirley Temple ! Pis a'l'apprenait donc vite, à l'école ! Ben plus vite que moé ! Moé, j'ai jamais été ben bonne à l'école… J'étais la grosse comique d'la classe, c'était toute c'que j'pouvais faire, de toute façon… Mais elle, la p'tite bougraise, a'vous en a-tu décroché, des prix ! Prix de français, prix d'arithmétique, prix de religion… Oui, de religion ! C'était pieux comme une bonne sœur, c't'enfant-là. C'est ben simple, les sœurs étaient folles d'elle ! Quand on la voit, aujourd'hui… Mon Dieu, au fond, j'ai un peu pitié d'elle. A'doit avoir de besoin d'aide, des fois… Pis a'doit être ben tu-seule !

GABRIELLE JODOIN. Quand a'l'a fini ses études primaires, on y'a demandé c'qu'a'voulait faire. A'voulait faire une maîtresse d'école. Est-tait pour commencer ses études... Mais y fallait qu'a'rencontre son Johnny !

LES TROIS SŒURS. Le maudit Johnny ! Un vrai démon sorti de l'enfer ! C'est de sa faute si est devenue comme a'l'est à c't'heure ! Maudit Johnny ! Maudit Johnny !

RHÉAUNA BIBEAU. Comment, pas une mauvaise fille ! Pour faire c'qu'a'fait, y faut être rendue ben bas ! Hon ! Tu sais pas c'que madame Longpré m'a conté à son sujet ?

ANGÉLINE SAUVÉ. Non, quoi, donc ?

THÉRÈSE DUBUC. Ayoye !

Les lumières s'allument. Thérèse Dubuc donne un coup de poing sur la tête de sa belle-mère.

GERMAINE LAUZON. Assommez-la pour de bon, faites quequ'chose, Thérèse !

THÉRÈSE DUBUC. Assommez-la, assommez-la, j'fais comme j'peux pour la tranquilliser ! Chus quand même pas pour la tuer pour vous faire plaisir !

ROSE OUIMET. Moé, j'la maudirais en bas de la galerie...

THÉRÈSE DUBUC. Pardon ? Répétez donc c'que vous v'nez de dire, Rose, j'ai pas compris !

ROSE OUIMET. J'parlais tu-seule !

THÉRÈSE DUBUC. Vous avez peur, hein ?

ROSE OUIMET. Moé, peur ?

THÉRÈSE DUBUC. Oui, vous avez peur !

MARIE-ANGE BROUILLETTE. Dites-moé pas qu'la chicane va r'poigner !

ANGÉLINE SAUVÉ. Y'a-tu eu une chicane ?

RHÉAUNA BIBEAU. Qui c'est qui s'est chicané, donc ?

ANGÉLINE SAUVÉ. On aurait dû arriver avant !

THÉRÈSE DUBUC. Chus pas pour la laisser faire ! A'vient d'insulter ma belle-mère ! La mère de mon mari !

LISETTE DE COURVAL. Les revoilà qui recommencent !

ROSE OUIMET. Est assez vieille ! Est pus bonne à rien !

GERMAINE LAUZON. Rose !

GABRIELLE JODOIN. Rose ! t'as pas honte de parler de même ! Que t'as donc le cœur dur !

THÉRÈSE DUBUC. J'oublierai jamais c'que vous v'nez de dire là, Rose Ouimet ! Je l'oublierai jamais !

ROSE OUIMET. Ah ! pis sacrez-moé donc patience !

ANGÉLINE SAUVÉ. Qui c'est qui s'est chicané, avant, donc ?

ROSE OUIMET. Vous voudriez tout savoir, hein, mademoiselle Sauvé, vous voudriez qu'on vous explique toute en détail ?

ANGÉLINE SAUVÉ. Mon Dieu, madame Ouimet...

ROSE OUIMET. Ensuite, vous pourriez aller tout colporter un peu partout, hein, c'est ça ?

RHÉAUNA BIBEAU. Rose Ouimet ! J'me fâche pas souvent, mais j'vous permettrai pas d'insulter mon amie !

MARIE-ANGE BROUILLETTE *(en aparté)*. J'vas toujours ben m'en prendre quequ'paquets pendant qu'y me voient pas !

GABRIELLE JODOIN *(qui l'a vue faire)*. Que c'est que vous faites là, madame Brouillette ?

ROSE OUIMET. Oui, j'pense que chus mieux de m'la farmer !

MARIE-ANGE BROUILLETTE. Chut ! Taisez-vous, prenez ça ! *(Arrivent Linda, Ginette et Lise avec des chaises. Grand branle-bas. Toutes les femmes changent de place. On en profite pour voler quelques livrets et quelques paquets de timbres.)* Prenez-en, ayez pas peur !

DES-NEIGES VERRETTE. Faudrait quand même pas exagérer.

THÉRÈSE DUBUC. Cachez ça dans vot'poche, madame Dubuc… Non ! J'ai dit d'les cacher !

GERMAINE LAUZON. Le gars qui me vend ma viande, à shop, c't'un vrai voleur !

La porte s'ouvre brusquement. Pierrette Guérin entre.

PIERRETTE GUÉRIN. Salut tout le monde !

LES AUTRES. Pierrette !

LINDA LAUZON. Ma tante Pierrette, c'est le fun !

ANGÉLINE SAUVÉ. Mon Dieu, Pierrette !

GERMAINE LAUZON. Que c'est que tu fais icitte, toé ? J't'ai déjà dit que j'voulais pus te voir !

PIERRETTE GUÉRIN. J'ai appris que ma grande sœur Germaine avait gagné un million de timbres, ça fait que j'ai décidé de v'nir voir ça ! *(Elle aperçoit Angéline Sauvé.)* Ah ! ben câlice ! Angéline ! Que c'est que tu fais icitte, toé !

Tout le monde regarde Angéline Sauvé.

Rideau.

ACTE II

Le deuxième acte commence à l'entrée de Pierrette. On refait donc les six dernières répliques du premier acte avant d'enchaîner.

La porte s'ouvre brusquement. Pierrette Guérin entre.

PIERRETTE GUÉRIN. Salut tout le monde !

LES AUTRES. Pierrette !

LINDA LAUZON. Ma tante Pierrette, c'est le fun !

ANGÉLINE SAUVÉ. Mon Dieu, Pierrette !

GERMAINE LAUZON. Que c'est que tu fais icitte, toé ? J't'ai déjà dit que j'voulais pus te voir !

PIERRETTE GUÉRIN. J'ai appris que ma grande sœur Germaine avait gagné un million de timbres, ça fait que j'ai décidé de v'nir voir ça ! *(Elle aperçoit Angéline Sauvé.)* Ah ! ben câlice ! Angéline ! Que c'est que tu fais icitte, toé ?

Tout le monde regarde Angéline Sauvé.

ANGÉLINE SAUVÉ. Mon Dieu ! Ça y'est, chus pognée !

GERMAINE LAUZON. Comment ça, "Angéline" ?

GABRIELLE JODOIN. Comment c'est que tu parles à mademoiselle Sauvé, donc, toé ?

ROSE OUIMET. T'as pas honte !

PIERRETTE GUÉRIN. Ben quoi, on se connaît ben, nous deux, hein, 'Géline ?

ANGÉLINE SAUVÉ. Ah ! J'pense que j'vas tomber sans connaissance !

Angéline fait semblant de perdre connaissance.

RHÉAUNA BIBEAU. Doux Jésus ! Angéline !

ROSE OUIMET. Est morte !

RHÉAUNA BIBEAU. Quoi ?

GABRIELLE JODOIN. Ben non, ben non, est pas morte ! T'exagères encore, Rose !

PIERRETTE GUÉRIN. Est même pas sans connaissance ! Vous voyez ben qu'a'fait semblant !

Pierrette s'approche d'Angéline.

GERMAINE LAUZON. Touches-y pas, toé !

PIERRETTE GUÉRIN. Laisse-moé donc tranquille, c'est mon amie !

RHÉAUNA BIBEAU. Comment ça, vot'amie !

GERMAINE LAUZON. T'as toujours ben pas envie de nous faire accroire que mademoiselle Sauvé est ton amie !

PIERRETTE GUÉRIN. Ben tiens ! A'vient nous voir au club quasiment tous les vendredis soir !

TOUTES LES FEMMES. Quoi !

RHÉAUNA BIBEAU. Ça se peut pas, voyons !

PIERRETTE GUÉRIN. Demandez-y ! Hein, 'Géline, c'est vrai c'que j'dis là ? Voyons, arrête de faire la folle, pis réponds ! Angéline, on sait que t'es pas dans les pommes ! Dis-leu' donc que c'est vrai que tu viens souvent au club !

ANGÉLINE SAUVÉ *(après un silence)*. Oui, c'est vrai !

RHÉAUNA BIBEAU. Hon ! Angéline ! Angéline !

QUELQUES FEMMES. C'est ben effrayant !

QUELQUES AUTRES. C'est ben épouvantable !

LINDA, GINETTE, LISE. C'est le fun !

Noir.

RHÉAUNA BIBEAU. Angéline ! Angéline !

Projecteur sur Angéline et Rhéauna.

ANGÉLINE SAUVÉ. Rhéauna, y faut me comprendre...

RHÉAUNA BIBEAU. Touche-moé pas ! Recule !

LES FEMMES. Si j'arais pensé une chose pareille !

RHÉAUNA BIBEAU. J'arais jamais pensé ça de toé, Angéline ! Dans un club ! Pis à tous les vendredis soir ! C'est pas possible ! Ça se peut pas !

ANGÉLINE SAUVÉ. J'fais rien de mal, Rhéauna ! J'prends rien qu'un coke !

LES FEMMES. Dans un club !

GERMAINE LAUZON. Dieu sait c'qu'a'fait là !

ROSE OUIMET. C'est peut-être une courailleuse !

ANGÉLINE SAUVÉ. Mais puisque que je vous dis que je fais rien de mal !

PIERRETTE GUÉRIN. C'est vrai qu'a'fait rien de mal !

ROSE, GERMAINE, GABRIELLE. Toé, tais-toé, démone !

RHÉAUNA BIBEAU. T'es pus mon amie, Angéline. J'te connais pus !

ANGÉLINE SAUVÉ. Ecoute-moé, Rhéauna, y faut que tu m'écoutes ! J'vas toute t'expliquer, pis tu vas comprendre !

ROSE, GERMAINE, GABRIELLE. Le club ! Un vrai endroit de perdition !

TOUTES LES FEMMES *(sauf les jeunes)*. Ah ! endroit maudit, endroit maudit ! C'est là qu'on perd son âme. Maudite boisson, maudite danse ! C'est là que nos maris perdent la tête pis dépensent toute leurs payes avec des femmes damnées !

GERMAINE, ROSE, GABRIELLE. Des femmes damnées comme toé, Pierrette !

TOUTES LES FEMMES *(sauf les quatre jeunes).* Vous avez pas honte, Angéline Sauvé, de fréquenter un endroit pareil ?

RHÉAUNA BIBEAU. Angéline ! Le club, mais c'est l'enfer !

PIERRETTE GUÉRIN *(en riant très fort).* Si l'enfer ressemble au club oùsque j'travaille, ça m'fait rien pantoute d'aller passer mon éternité là, moé !

GERMAINE, ROSE, GABRIELLE. Farme-toé, Pierrette, c'est le diable qui parle par ta bouche !

LINDA, GINETTE, LISE. Le diable ? Voyons donc ! Ecoutez, faut être de son temps ! Les clubs, c'est pas la fin du monde ! C'est pas pire qu'ailleurs. Pis c'est ben l'fun ! C'est ben l'fun, les clubs !

LES AUTRES FEMMES. Ah ! Jeunesses aveugles ! Jeunesses aveugles ! Vous allez vous pardre, pauvres jeunesses, vous allez vous pardre, pis vous allez v'nir brailler dans nos bras, après ! Mais y s'ra trop tard ! Y s'ra trop tard ! Attention ! Faites attention à ces endroits maudits ! On s'en aperçoit pas toujours quand on tombe, pis quand on se r'lève, y est trop tard !

LISE PAQUETTE. Trop tard ! Y'est trop tard ! Mon Dieu, y'est trop tard !

GERMAINE LAUZON. J'espère au moins que vous allez vous en confesser, Angéline Sauvé !

ROSE OUIMET. J'vous vois aller communier tous les dimanches matin... Communier avec un pareil péché sur la conscience !

GABRIELLE JODOIN. Un péché mortel !

GERMAINE, ROSE, GABRIELLE. On nous l'a assez répété : "Mettre le pied dans un club, c'est déjà faire un péché mortel."

ANGÉLINE SAUVÉ. Assez ! Farmez-vous pis écoutez-moé !

LES FEMMES. Jamais ! Vous avez pas d'excuses !

ANGÉLINE SAUVÉ. Rhéauna, écoute-moé, toé ! On est des vieilles amies, on reste ensemble depuis trente-cinq ans ! J't'aime ben mais un moment donné j'ai l'goût d'voir d'autre monde ! Tu sais comment j'sus faite ! J'aime ça avoir du fun ! J'ai été élevée dans les soubassements d'églises, pis j'veux connaître d'autres choses ! On peut aller dans les clubs sans faire de mal ! Ça fait quatre ans que j'fais ça, pis j'ai jamais rien faite de pas correct ! Le monde qui travaillent là, sont pas pires que nous autres ! J'ai envie d'connaître du monde ! J'ai jamais ri de ma vie, Rhéauna !

RHÉAUNA BIBEAU. Y a d'autres places que les clubs pour rire ! T'es t'après te pardre, Angéline ! Dis-moé qu'tu y retourneras pus !

ANGÉLINE SAUVÉ. 'Coute Rhéauna, j'peux pas ! J'aime ça aller là, comprends-tu, j'aime ça !

RHÉAUNA BIBEAU. Y faut qu'tu m'promettes, sans ça, j'te parle pus jamais ! Choisis ! C'est l'club, ou c'est moé ! Si tu savais la peine que tu me fais ! Une amie d'toujours ! Une coureuse de clubs ! Mais que c'est qu'tu dois avoir l'air, Angéline ! Pour que c'est que l'monde doivent te prendre en t'voyant rentrer là ? Pis surtout où Pierrette travaille ! Y a pas plus trou ! Y faut pus qu'tu r'tournes là jamais, Angéline ! M'entends-tu ? Sinon c'est fini entre nous deux ! Tu devrais avoir honte !

ANGÉLINE SAUVÉ. Y faut pas m'demander de pus y r'tourner, Rhéauna ! Mais réponds-moé donc !

RHÉAUNA BIBEAU. J'te parle pus tant qu'tu promettras pas !

L'éclairage redevient normal. Angéline s'assoit dans un coin, Pierrette Guérin vient la rejoindre.

ANGÉLINE SAUVÉ. Que c'est que t'avais d'affaire à v'nir icitte, toé, à soir ?

PIERRETTE GUÉRIN. Laisse-les donc parler. Y'aiment ça s'faire des drames à noirceur. Y savent ben dans l'fond qu'tu fais rien de mal au club. Dans cinq menutes, y y penseront plus !

ANGÉLINE SAUVÉ. Tu penses ça, toé ? Pis Rhéauna, elle, que c'est qu't'en fais ? Tu penses qu'a'va m'pardonner ça d'même ? Pis madame de Courval qui s'occupe des loisirs de la paroisse, pis qui est présidente de la Supplique à Notre-Dame-du-Perpétuel-Secours !

Tu penses qu'a'va continuer à me parler ? Pis tes sœurs qui peuvent pas te sentir justement parce que tu travailles dans un club ! J'te dis qu'y'a pus rien à faire ! Rien ! Rien !

GERMAINE LAUZON. Pierrette !

PIERRETTE GUÉRIN. Ecoute, Germaine, Angéline a ben d'la peine, ça fait que c'est pas le temps de nous chicaner ! Chus v'nue pour vous voir pis pour coller des timbres, pis j'veux rester ! J'ai pas la lèpre ! Laisse-nous tranquilles, toutes les deux, on va rester dans not'coin ! Après la soirée, si tu veux, j'reviendrai pus jamais... Mais j'peux pas laisser Angéline tu-seule !

ANGÉLINE SAUVÉ. Tu peux t'en aller, si tu veux, Pierrette...

PIERRETTE GUÉRIN. Non, j'veux rester !

ANGÉLINE SAUVÉ. Bon, ben c'est moé qui va partir, d'abord !

LISETTE DE COURVAL. Si elles pourraient s'en aller toutes les deux !

Angéline se lève.

ANGÉLINE SAUVÉ *(à Rhéauna)*. T'en viens-tu ? *(Rhéauna Bibeau ne répond pas.)* Bon, c'est correct. J'vas laisser la porte débarrée... *(Elle se dirige vers la porte. Noir. Projecteur sur Angéline Sauvé.)* C'est facile de juger le monde. C'est facile de juger le monde mais y faut connaître les deux côtés d'la médaille ! Le monde que j'ai rencontré dans c'te club-là, c'est mes meilleurs amis ! Y'a jamais personne qui a été fin comme ça avec moé, avant ! Même pas Rhéauna ! Avec eux autres, j'ai du fun ; avec eux autres, j'ris ! J'ai été élevée dans des salles paroissiales par des sœurs qui faisaient c'qu'y pouvaient mais qui connaissaient rien, les pauvres ! J'ai appris à rire à cinquante-cinq ans ! Comprenez-vous ? J'ai appris à rire à cinquante-cinq ans ! Pis par hasard ! Parce que Pierrette m'a emmenée dans son club, un soir ! J'voulais pas y aller ! A'l'a été obligée de me tirer par la queue de manteau ! Mais sitôt que j'ai été rendue là, par exemple, j'ai compris c'que c'était que d'avoir passé toute une vie sans avoir de fun ! Tout le monde peut pas avoir du fun dans les clubs, mais moé j'aime ça ! C'est ben sûr que c'est pas vrai que j'prends juste un coke quand j'vas là ! C'est ben sûr que j'prends d'la boésson ! J'en prends pas gros mais ça me rend heureuse pareil ! J'fais de mal à parsonne, j'me paye deux heures de plaisir par semaine ! Mais y fallait que ça m'arrive un jour ! J'le savais que j'finirais par me faire pogner ! J'le savais ! Que c'est que j'vas faire, mon Dieu, que c'est que j'vas faire ! *(Un temps.)* Bonyeu ! On devrait pourtant avoir le droit d'avoir un peu de fun, dans'vie ! *(Un temps.)* J'me sus toujours dit que si j'me faisais prendre, j'arrêterais d'aller au club... mais j'sais pas si j'vas être capable ! Pis Rhéauna acceptera jamais ça ! *(Un temps.)* Après toute, Rhéauna vaut mieux que Pierrette. *(Long soupir.)* Fini les vacances !

Elle sort. Projecteur sur Yvette Longpré.

YVETTE LONGPRÉ. C'était la fête de ma belle-sœur Fleur-Ange, la semaine passée. Y y'ont faite un beau party. On était une grosse gang. D'abord, y'avait sa famille à elle, hein ! Son mari, Oscar David, elle, Fleur-Ange David, pis leurs sept s'enfants : Raymonde, Claude, Lisette, Fernand, Réal, Micheline, pis Yves. Y'avait les parents de son mari : Aurèle David, pis sa dame Ozéa David. Y'avait ensuite la mère de ma belle-sœur, Blanche Tremblay. Son père était pas là, y'est mort... Ensuite, y'avait les autres invités : Antonio Fournier, pis sa femme Rita ; Germaine Gervais était là, Wilfrid Gervais, Armand Gervais, Georges-Albert Gervais, Louis Thibault, Rose Campeau, Daniel Lemoyne, pis sa femme Rose-Aimée, Roger Joly, Hormidas Guay, Simonne Laflamme, Napoléon Gauvin, Anne-Marie Turgeon, Conrad Joannette, Léa Liasse, Jeannette Landreville, Nina Laplante, Robertine Portelance, Gilberte Morrissette, Laura Cadieux, Rodolphe Quintal, Willie Sanregret, Lilianne Beaupré, Virginie Latour, Alexandre Thibodeau, Ovila Gariépy, Roméo Bacon, pis sa femme Juliette ; Mimi Bleau, Pit Cadieux, Ludger Champagne, Rosaire Rouleau, Roger Chabot, Antonio Simard, Alexandrine Smith, Philémon Langlois, Eliane Meunier, Marcel Morel, Grégoire Cinq-Mars, Thodore Fortier, Hermine Héroux, pis nous autres, mon mari Euclide, pis moé. Bon, ben, c't'à peu près toute, j'pense...

Les lumières s'allument.

GERMAINE LAUZON. Bon, ben, on va continuer, là, hein ?

ROSE OUIMET. Allons-y gaiement !

DES-NEIGES VERRETTE. On n'a pas mal de faite, hein ? R'gardez, j'ai déjà toute ça de collé...

MARIE-ANGE BROUILLETTE. A part de c'que vous avez volé...

LISETTE DE COURVAL. Passez-moé donc des timbres, madame Lauzon.

GERMAINE LAUZON. Ah ! oui... certain... T'nez, en v'là en masse !

RHÉAUNA BIBEAU. Angéline ! Angéline ! C'est pas possible !

LINDA LAUZON *(à Pierrette)*. Allô, ma tante !

PIERRETTE GUÉRIN. Salut, comment ça va ?

LINDA LAUZON. Ah ! ça va pas ben ben... J'me chicane toujours avec ma mère, pis chus ben tannée ! On est toujours après s'astiner pour rien. Eh ! si j'pouvais donc m'en aller !

GERMAINE LAUZON. Les retraites vont commencer ben vite, hein ?

ROSE OUIMET. Ben oui ! Y'ont dit ça, à'messe, dimanche passé.

MARIE-ANGE BROUILLETTE. J'espère que ça s'ra pas le même prêtre que l'année passée, qui va v'nir...

GERMAINE LAUZON. Moé aussi ! J'l'ai pas aimé, lui ! Y'était ennuyant à mort !

PIERRETTE GUÉRIN. Entéka, y'a rien qui t'empêche de partir ! Tu pourrais v'nir rester avec moé...

LINDA LAUZON. Vous y pensez pas ! Des plans pour qu'y veulent pus jamais me voir !

LISETTE DE COURVAL. Non, ce n'est pas le même qui va venir, cette année...

DES-NEIGES VERRETTE. Non ? Qui c'est, d'abord ?

LISETTE DE COURVAL. Un dénommé monsieur l'abbé Rochon. Il paraît qu'il est formidable ! L'abbé Gagné m'a justement dit l'autre jour que c'était un de ses meilleurs amis...

ROSE OUIMET *(à Gabrielle)*. La v'là qui r'commence avec son abbé Gagné ! On n'a pour toute la nuit, certain ! On dirait quasiment qu'est en amour avec ! Monsieur l'abbé Gagné par icitte, monsieur l'abbé Gagné par là... Ben moé l'abbé Gagné, là, j'l'aime pas ben ben...

GABRIELLE JODOIN. Ni moé non plus ! Y'est un peu trop à'mode. C'est ben beau de s'occuper des loisirs d'la paroisse, mais faut quand même pas oublier qu'on est prêtre ! Homme de Dieu !

LISETTE DE COURVAL. Ah ! Oui, c'est un saint homme... Vous devriez le connaître, madame Dubuc, vous l'aimeriez ben gros... Quand il perle, là, c'est comme si ça serait le Bon Dieu lui-même qui nous perlerait !

THÉRÈSE DUBUC. Faudrait pas exagérer...

LISETTE DE COURVAL. J'vous le dis ! Les enfants l'adorent... Hon ! Ça me fait penser... Les enfants d'la paroisse organisent une soirée récréative pour dans un mois. J'espère que vous allez toutes venir, ce sera une soirée formidable ! Ça fait déjà pas mal longtemps qu'ils se pratiquent, aux loisirs...

DES-NEIGES VERRETTE. Que c'est qui va y avoir, au juste ?

LISETTE DE COURVAL. Ah ! ça va être bien bon. Y va y avoir toutes sortes de numéros. Le petit garçon de madame Gladu va chanter...

ROSE OUIMET. Encore ? Y me tanne, lui. Chus ben tannée de l'entendre ! A part de ça, depuis qu'y'a passé à'télévision, là, sa mère porte pus à terre ! A'se prend pour une vraie vedette !

LISETTE DE COURVAL. Mais il chante si bien, le petit Raymond !

ROSE OUIMET. Ouais... Moé, j'trouve qu'y'a un peu trop l'air d'une fille avec sa p'tite bouche en trou de cul de poule...

GABRIELLE JODOIN. Rose !

LISETTE DE COURVAL. Diane Aubin va donner une démonstration de nage aquatique... On va faire la fête à côté de la piscine municipale, ça va être de toute beauté...

ROSE OUIMET. Pis, y va-tu y avoir des prix de présence ?

LISETTE DE COURVAL. Bien oui, hein, vous pensez bien ! Et puis la soirée va se terminer par un grand bingo !

LES AUTRES FEMMES *(moins les quatre jeunes).* Un bingo !

OLIVINE DUBUC. Bingo !

Noir. Quand les lumières reviennent, les neuf femmes sont debout au bord de la scène.

LISETTE DE COURVAL. Ode au bingo !

OLIVINE DUBUC. Bingo !

Pendant que Rose, Germaine, Gabrielle, Thérèse et Marie-Ange récitent "l'ode au bingo", les quatre autres femmes crient des numéros de bingo en contrepoint, d'une façon très rythmée.

GERMAINE, ROSE, GABRIELLE, THÉRÈSE ET MARIE-ANGE. Moé, j'aime ça le bingo ! Moé, j'adore ça le bingo ! Moé, y'a rien au monde que j'aime plus que le bingo ! Presque toutes les mois, on en prépare un dans'paroisse ! J'me prépare deux jours d'avance, chus t'énarvée, chus pas tenable, j'pense rien qu'à ça. Pis quand le grand jour arrive, j't'assez excitée que chus pas capable de rien faire dans'maison ! Pis là, là, quand le soir arrive, j'me mets sur mon trente-six, pis y'a pas un ouragan qui m'empêcherait d'aller chez celle qu'on va jouer ! Moé, j'aime ça, le bingo ! Moé, c'est ben simple, j'adore ça, le bingo ! Moé, y'a rien au monde que j'aime plus que le bingo ! Quand on arrive, on se déshabille pis on rentre tu-suite dans l'appartement oùsqu'on va jouer. Des fois, c'est le salon que la femme a vidé, des fois, aussi, c'est la cuisine, pis même, des fois, c'est une chambre à coucher. Là, on s'installe aux tables, on distribue les cartes, on met nos pitounes gratis, pis la partie commence ! *(Les femmes qui crient des numéros continuent seules quelques secondes.)* Là, c'est ben simple, j'viens folle ! Mon Dieu, que c'est donc excitant, c't'affaire-là ! Chus toute à l'envers, j'ai chaud, j'comprends les numéros de travers, j'mets mes pitounes à mauvaise place, j'fais répéter celle qui crie les numéros, chus dans toutes mes états ! Moé, j'aime ça, le bingo ! Moé, c'est ben simple, j'adore ça, le bingo ! Moé, y'a rien au monde que j'aime plus que le bingo ! La partie achève ! J'ai trois chances ! Deux par en haut, pis une de travers ! C'est le B 14 qui me manque ! C'est le B 14 qui me faut ! C'est le B 14 que je veux ! Le B 14 ! Le B 14 ! Je r'garde les autres... Verrat, y'ont autant de chances que moé ! Que c'est que j'vas faire ! Y faut que je gagne ! Y faut que j'gagne ! Y faut que j'gagne !

LISETTE DE COURVAL. B 14 !

LES CINQ FEMMES. Bingo ! Bingo ! J'ai gagné ! J'le savais ! J'avais ben que trop de chances ! J'ai gagné ! Que c'est que j'gagne, donc ?

LISETTE DE COURVAL. Le mois passé, c'était le mois des chiens de plâtre pour t'nir les portes, c'mois icitte, c'est le mois des lampes torchères !

LES NEUF FEMMES. Moé, j'aime ça, le bingo ! Moé, c'est ben simple, j'adore ça, le bingo ! Moé, y'a rien au monde que j'aime plus que le bingo ! C'est donc de valeur qu'y'en aye pas plus souvent ! J's'rais tellement plus heureuse ! Vive les chiens de plâtre ! Vive les lampes torchères ! Vive le bingo !

Eclairage général.

ROSE OUIMET. Ouan, ben moé, j'commence à avoir soif !

GERMAINE LAUZON. Mon Dieu, c'est vrai, les liqueurs ! Linda, passe donc les cokes !

OLIVINE DUBUC. Coke... coke... oui... oui... coke...

THÉRÈSE DUBUC. T'nez-vous donc tranquille, madame Dubuc, vous allez en avoir comme tout le monde, du coke ! Mais vous avez besoin de boire proprement, par exemple ! Pas de renvoyage comme l'aut'fois, là !

ROSE OUIMET. Moé, a'm'énarve avec sa belle-mère, elle, c'est ben simple...

GABRIELLE JODOIN. Rose, prends sur toé ! Y'a déjà eu assez de chicane comme c'est là ! Tu veux d'aut'drames ?

GERMAINE LAUZON. Ben oui, reste tranquille, un peu ! Pis colle ! Tu fais rien !

Projecteur sur le frigidaire. La scène qui suit doit se passer "dans la porte du réfrigérateur".

LISE PAQUETTE *(à Linda).* Y faut que j'te parle, Linda...

LINDA LAUZON. Oui, j'sais, tu me l'as déjà dit au restaurant... Mais c'est pas ben ben l'temps...

LISE PAQUETTE. Ça s'ra pas long. Y faut absolument que j'le dise à quelqu'un. T'es ma meilleure amie, Linda, ça fait que j'veux que tu sois la première à savoir... J'peux pus le cacher, j'ai trop de peine... Linda, j'vas avoir un p'tit !

LINDA LAUZON. Quoi ! Viens-tu folle ! Es-tu sûre ?

LISE PAQUETTE. Ben oui. C'est le docteur qui me l'a dit !

LINDA LAUZON. Mais que c'est que tu vas faire ?

LISE PAQUETTE. J'le sais ben pas ! Si tu savais comme chus découragée ! J'ai encore rien dit à mes parents, tu comprends. J'ai trop peur de me faire tuer par mon père ! Quand le docteur m'a dit ça, c'est ben simple, j'aurais pu me sacrer en bas du balcon...

PIERRETTE GUÉRIN. Ecoute, Lise...

LINDA LAUZON. Vous avez entendu ?

PIERRETTE GUÉRIN. Oui. T'es ben ammanchée là, ma fille. Mais... j'pourrais p't'être t'aider...

LISE PAQUETTE. Ah ! oui ? Comment ça ?

PIERRETTE GUÉRIN. Ben, j'connais un docteur...

LINDA LAUZON. Vous y pensez pas, ma tante !

PIERRETTE GUÉRIN. Voyons, y'a pas de danger... Y'en fait deux trois par semaine, c'te docteur-là !

LISE PAQUETTE. Faut dire que j'y avais déjà pensé... Mais je connaissais pas personne... pis j'avais peur d'essayer tu-seule.

PIERRETTE GUÉRIN. Fais jamais ça ! Ça, c'est dangereux ! Mais avec mon docteur... Si tu veux, j'peux toute arranger. Dans une semaine d'icitte, tout s'rait arrangé !

LINDA LAUZON. Lise, t'as pas envie d'accepter ! Ça s'rait un vrai crime !

LISE PAQUETTE. Que c'est que tu veux que je fasse d'autre ? Y'a pas d'aut'moyen de m'en sortir ! Pis chus quand même pas pour le laisser v'nir, c't'enfant-là ! Tu vois c'que Manon Bélair est devenue ? Elle aussi, c'était une fille-mère. A c't'heure est pris avec un p'tit sur les bras pis a'n'arrache sans bon sens !

LINDA LAUZON. Le père, y peut pas te marier ?

LISE PAQUETTE. T'sais ben qu'y m'a laissée tomber, hein ? Y'est disparu dans'brume, ç'a pas été long ! Les belles promesses qu'y m'avait faites ! On était donc pour être heureux, ensemble ! Y faisait d'l'argent comme de l'eau, ça fait que moé, la folle, j'voyais pus clair ! Des cadeaux par-icitte, des cadeaux par là, y finissait pus ! Ah ! j'en ai ben profité, un temps. Mais maudit, y fallait que ça arrive ! Y fallait que ça arrive ! Maudite marde ! J'ai jamais de chance, jamais ! Y faut toujours que j'reçoive un siau de marde su'a tête ! Mais j'veux tellement sortir de ma crasse ! Chus t'écœurée de travailler au Kresge ! J'veux arriver à quequ'chose, dans'vie, vous comprenez, j'veux arriver à quequ'chose ! J'veux avoir un char, un beau logement, du beau linge ! J'ai quasiment rien que des uniformes de restaurant à me mettre sur le dos, bonyeu ! J'ai toujours été pauvre, j'ai toujours tiré le diable par la queue, pis j'veux que ça change ! J'sais que chus cheap, mais j'veux m'en sortir ! Chus v'nue au monde par la porte d'en arrière, mais m'as donc sortir par la porte d'en avant ! Pis y'a rien qui va m'en empêcher ! Y'a rien qui va m'arrêter ! Tu sauras me dire plus tard que j'avais raison, Linda ! Attends deux trois ans, pis tu vas voir que Lise Paquette a'va devenir quelqu'un ! Des cennes, a'va n'avoir, O.K. ?

LINDA LAUZON. Tu commences mal !

LISE PAQUETTE. C'est justement, j'ai faite une erreur pis j'veux la réparer ! J'vas recommencer en neuf, après ! Vous Pierrette, vous devriez comprendre ça ?

PIERRETTE GUÉRIN. Oui, j'te comprends. J'sais c'que c'est de vouloir gagner ben d'l'argent. Prends moé, par exemple, à ton âge, chus partie de chez nous pour faire de l'argent. Mais j'ai pas commencé par travailler dans les quinze cennes, par exemple. Ah ! non, chus rentrée au club tu-suite ! Là, y'avait d'l'argent à faire ! Pis ça s'ra pas long que j'vas avoir le gros magot, moé aussi ! Johnny me l'a promis...

ROSE, GERMAINE, GABRIELLE. Maudit Johnny ! Maudit Johnny !

GINETTE MÉNARD. Que c'est qui se passe icitte, donc ?

LISE PAQUETTE. Rien, rien. *(A Pierrette.)* On en reparlera...

GINETTE MÉNARD. De quoi, donc ?

LISE PAQUETTE. Ah ! Laisse faire !

GINETTE MÉNARD. Tu veux rien me dire ?

LISE PAQUETTE. Laisse-moé donc tranquille, toé, colleuse !

PIERRETTE GUÉRIN. Viens là-bas, on va continuer à jaser...

GERMAINE LAUZON. Ça arrive pas, ces liqueurs-là ?

LINDA LAUZON. Me v'là, me v'là...

Les lumières se rallument.

GABRIELLE JODOIN. Combien tu l'as payé, donc, ton p'tit costume bleu, Rose ?

ROSE OUIMET. Quel, donc ?

GABRIELLE JODOIN. T'sais ben, le p'tit costume bleu avec du braidage blanc autour du collet.

ROSE OUIMET. Ah ! Ç'ui-là... J'l'ai payé neuf dollars quatre-vingt-dix-huit cennes.

GABRIELLE JODOIN. Me semblait ben, aussi ! Imagine-toé donc que j'l'ai vu, chez Reitman's, aujourd'hui, à quatorze dollars quatre-vingt-dix-huit cennes...

ROSE OUIMET. Es-tu folle ! J'l'avais ben dit, hein, que j'le payais pas cher...

GABRIELLE JODOIN. Mon étronne, toé ! T'es donc bonne pour trouver des bargains !

LISETTE DE COURVAL. Ma fille Micheline a changé d'emploi, dernièrement. Elle travaille maintenant sur les machines F.B.I.

MARIE-ANGE BROUILLETTE. Ah ! oui ? Y paraît que c'est mortel pour les nerfs, ces machines-là ! Les filles qui travaillent là-dessus sont obligées de changer au bout de six mois. La fille de ma belle-sœur Simonne a faite une dépression narveuse, là-dessus. Simonne m'a appelée, justement, aujourd'hui pour me conter ça...

ROSE OUIMET. Mon Dieu, ça me fait penser, Linda, t'es demandée au téléphone !

Linda se précipite sur le téléphone.

LINDA LAUZON. Allô, Robert ? Ça fait-tu longtemps que t'attends ?

GINETTE MÉNARD. Dis-moi-lé donc !

LISE PAQUETTE. Non ! Es-tu achalante ! Arrête donc de coller après moé comme une sangsue ! Laisse-moé parler à Pierrette, un peu ! Envoye, chenaille !

GINETTE MÉNARD. Bon, c'est correct, j'ai compris ! T'es ben contente de m'avoir quand y'a personne, mais aussitôt qu'y'arrive quelqu'un, par exemple...

LINDA LAUZON. Ecoute, Robert... ben oui, ça fait cinq fois que j'te dis qu'y viennent juste de m'avertir ! C'est pas de ma faute !

THÉRÈSE DUBUC. T'nez, cachez ça, madame Dubuc !

ROSE OUIMET *(à Ginette Ménard qui distribue les cokes).* Comment ça va, chez vous, Ginette ?

GINETTE MÉNARD. Ah ! c'est toujours pareil... Y se battent à cœur de jour... C'est pas nouveau. La mère continue à boire... Le père se fâche... Ça fait des chicanes à pus finir...

ROSE OUIMET. Pauv'p'tite... Pis ta sœur ?

GINETTE MÉNARD. Suzanne ? C'est toujours la smatte d'la famille ! Sont toutes pâmés devant elle ! Y'a rien qu'elle qui compte. "Ça c't'une bonne fille. Tu devrais faire comme elle, Ginette. A'l'a réussi, dans la vie, elle." Moé, j'compte pas. Ils l'ont toujours aimée plus que moé. J'le sais. Pis à c't'heure qu'est rendue maîtresse d'école, vous comprenez, c'est pus des maudites farces !

ROSE OUIMET. Ben non, voyons, Ginette, pour moé, t'exagères un peu.

GINETTE MÉNARD. J'sais c'que j'dis ! Ma mère s'est jamais occupée de moé ! C'est toujours Suzanne la plus belle, Suzanne la plus fine. J'ai mon voyage d'entendre ça à cœur de jour ! Même Lise s'occupe pus de moé !

LINDA LAUZON *(au téléphone)*. Ah ! pis sacre-moé patience ! Si tu veux rien comprendre, que c'est que tu veux que j'te dise ? Quand tu s'ras plus de bonne humeur, tu me rappelleras ! *(Elle raccroche.)* Vous auriez pas pu me le dire avant que j'étais demandée au téléphone, non ? Y m'a lâché un paquet de bêtises à cause de vous, ma tante !

ROSE OUIMET. Est ben bête ! Non, mais est ben bête, c't'enfant-là !

Projecteur sur Pierrette Guérin.

PIERRETTE GUÉRIN. Quand chus partie de chez nous, j'étais en amour par-dessus la tête. J'voyais pus clair. Y'avait rien que Johnny qui comptait pour moé. Y m'a faite pardre dix ans de ma vie, le crisse ! J'ai rien que trente ans pis j'me sens comme si j'en arais soixante ! Y m'en a tu fait faire, des affaires, c'gars-là ! Moé, la niaiseuse, j'l'écoutais ! Envoye donc ! J'ai travaillé pour lui, au club, pendant dix ans ! J'étais belle, j'attirais la clientèle. Tant que ç'a duré, ça allait ben... Mais là... Bâtard, que chus tannée ! J'me crisserais en bas d'un pont, c'est pas mêlant !

Tout ce qui me reste à faire, c'est de me soûler. Pis c'est c'que j'fais depuis vendredi. Pauv'Lise, a's'lamente parce qu'est enceinte, pis qu'est mal pris ! Mais bonyeu, est jeune, elle, j'vas y donner l'adresse de mon docteur, pis toute va s'arranger, a'va pouvoir toute recommencer en neuf. Pas moé ! Pas moé ! Chus trop vieille ! Une fille qui a faite la vie pendant dix ans, ça pogne pus ! Chus finie ! Pis essayez donc d'expliquer ça à mes sœurs. Comprendront rien ! J'le sais pas c'que j'vas devenir, j'le sais pas pantoute !

LISE PAQUETTE *(à l'autre bout de la cuisine).* J'le sais pas c'que j'vas devenir, j'le sais pas pantoute ! Se faire avorter, c'est pas une petite affaire ! J'ai entendu assez d'histoires là-dessus ! Pis c'est pire quand on fait ça nous autres mêmes, ça fait que chus mieux d'aller voir le docteur à Pierrette ! Ah ! pourquoi que ça m'arrive toujours à moé, ces affaires-là ! Est chanceuse, elle, Pierrette, a'travaille dans le même club depuis dix ans, a'fait d'l'argent comme de l'eau, pis est en amour. Ah ! que j'l'envie donc ! Même si sa famille l'aime pas, au moins est heureuse de son bord !

PIERRETTE GUÉRIN. Y m'a laissée tomber comme une roche ! Tiens, fini, n-i, ni ! Veux pus te voir ! T'es trop vieille, à c't'heure, t'es trop laide ! Fais tes bagages, pis débarrasse ! Pus besoin de toé ! Ben l'écœurant, y m'a pas laissé une cenne ! Pas une maudite cenne noire ! Après toute c'que j'ai faite pour lui pendant dix ans ! Dix ans ! Dix ans pour rien ! C'est pas assez pour se tuer, ça, vous pensez ? Que c'est que j'vas d'venir, moé, hein ? Que c'est que j'vas d'venir ? Une p'tite waitress cheap du Kresge comme Lise ? Ah ! non, marci ben ! Le Kresge, c'est bon pour les débutantes pis les mères de famille, pas pour les filles comme moé ! Je le sais pas c'que j'vas d'venir, je le sais pas pantoute ! Pis chus t'obligée de faire la smatte, icitte ! Chus pas pour dire à Linda pis à Lise que chus finie ! *(Silence.)* Ouais... Y me reste pus rien que la boisson, à c't'heure... Une chance que j'aime ça...

LISE PAQUETTE *(à plusieurs reprises pendant le monologue de Pierrette).* J'ai peur, bonyeu, j'ai peur ! *(Elle s'approche de Pierrette et se jette dans ses bras.)* Es-tu sûre que ça va ben aller, Pierrette ? Si tu savais comme j'ai peur !

PIERRETTE GUÉRIN *(en riant)*. Ben oui, ben oui, toute va s'arranger, tu vas voir, toute va s'arranger...

L'éclairage redevient normal.

MARIE-ANGE BROUILLETTE *(à Des-Neiges)*. On n'est même pus en sécurité aux vues ! L'aut'jour, chus t'allée voir une vieille vue d'Eddie Constantine. Mon mari était resté à la maison. Au beau milieu d'la vue, v'là t'y pas un espèce de vieux écœurant qui vient s'asseoir à côté de moé, pis qui commence à me tâter ! J'étais assez gênée, c'est ben simple ! Mais ça fait rien, j'me sus levée, pis j'y ai sacré un coup de sacoche en pleine face !

DES-NEIGES VERRETTE. Vous avez donc ben faite ! Moé, j'emporte toujours une épingle à chapeau avec moé quand j'vas aux vues. On sait jamais c'qui peut arriver. Pis le premier qui viendrait essayer de me tâter... Mais j'ai jamais eu à m'en servir.

ROSE OUIMET. Sont pas mal chauds, tes cokes, Germaine.

GERMAINE LAUZON. Quand est-ce que tu vas arrêter de critiquer, hein, quand est-ce que tu vas arrêter ?

LISE PAQUETTE. Linda, as-tu un crayon pis un papier ?

LINDA LAUZON. J'te le dis, Lise, fais pas ça !

LISE PAQUETTE. J'sais c'que j'ai à faire ! Chus décidée pis y'a rien qui va me faire changer d'idée !

RHÉAUNA BIBEAU *(à Thérèse)*. Que c'est que vous faites là, donc ?

THÉRÈSE DUBUC. Chut ! Pas si fort ! Vous devriez faire pareil ! Deux trois livrets, ça paraît pas.

RHÉAUNA BIBEAU. Chus pas une voleuse !

THÉRÈSE DUBUC. Voyons donc, mademoiselle Bibeau, y'est pas question de voler ! A'les a eus pour rien, ces timbres-là ! Pis a'n'a un million ! Un million !

RHÉAUNA BIBEAU. Tant que vous voudrez ! A'nous a invitées pour venir coller ses timbres, on est toujours ben pas pour en profiter pour y voler !

GERMAINE LAUZON *(à Rose).* De quoi y parlent, ces deux-là, donc ? J'aime pas les messes basses !

Elle s'approche de Rhéauna et de Thérèse.

THÉRÈSE DUBUC *(la voyant venir).* Heu... ben oui... vous ajoutez deux tasses d'eau, pis vous brassez.

RHÉAUNA BIBEAU. Quoi ? *(Apercevant Germaine.)* Ah ! Oui ! A'me donnait une recette !

GERMAINE LAUZON. Une recette de quoi, donc ?

RHÉAUNA BIBEAU. Des beignes !

THÉRÈSE DUBUC. Une poudigne au chocolat !

GERMAINE LAUZON. Ben, entendez-vous, c't'une poudigne, ou bedonc des beignes ! *(Elle revient vers Rose.)* J'te dis, Rose, qu'y se passe des choses pas correctes, icitte, à soir.

ROSE OUIMET *(qui vient de cacher quelques livrets dans son sac à main).* Ben non, ben non... C'est des idées que tu te fais...

GERMAINE LAUZON. Pis j'trouve que Linda reste un peu trop longtemps avec sa tante Pierrette ! Linda, viens icitte...

LINDA LAUZON. Une menute, moman...

GERMAINE LAUZON. J't'ai dit de v'nir icitte ! C'est pas pour demain, c'est pour aujourd'hui !

LINDA LAUZON. O.K. Enarvez-vous pas de même pour rien ! Oui, que c'est qu'y'a, là ?

GABRIELLE JODOIN. Reste avec nous autres, un peu... Tu te tiens pas mal trop avec ta tante...

LINDA LAUZON. Pis ? Que c'est que ça peut ben faire ?

GERMAINE LAUZON. Mais que c'est qu'a'l'a à tant jaser avec ton amie Lise, donc ?

LINDA LAUZON. Ah... rien...

GERMAINE LAUZON. Réponds donc comme du monde, quand on te parle !

GABRIELLE JODOIN. Lise a écrit quelque chose, tout à l'heure.

LINDA LAUZON. C'tait une adresse...

GERMAINE LAUZON. Dis-moé pas qu'a'l'a pris l'adresse de Pierrette, toujours ! Si jamais j'apprends que t'as été chez ta tante, toé, tu vas avoir affaire à moé, tu m'as compris ?

LINDA LAUZON. Laissez-moé donc tranquille ! Chus t'assez vieille pour savoir c'que j'ai à faire !

Elle retourne auprès de Pierrette.

ROSE OUIMET. C'est peut-être pas de mes affaires, Germaine, mais...

GERMAINE LAUZON. Quoi, donc, que c'est qu'y'a encore !

ROSE OUIMET. Ta fille Linda est sur une pente ben dangereuse...

GERMAINE LAUZON. J'le sais ben que trop ben ! Mais fais-toé-s'en pas, Rose, j'vas y voir ! Pis j'te dis qu'a'va revenir dans le droit chemin, ça prendra pas goût de tinette ! Pis la Pierrette, là, c'est la dernière fois qu'a'met les pieds icitte ! M'as la sacrer dehors, frette, net, sec, les cheveux coupés en balai !

MARIE-ANGE BROUILLETTE. Vous avez pas remarqué que la fille de madame Bergeron a engraissé depuis quequ'temps ?

LISETTE DE COURVAL. Oui, j'ai remarqué ça...

THÉRÈSE DUBUC *(insinuante)*. C'est drôle, hein, a'l'engraisse rien que du ventre.

ROSE OUIMET. Faut croire que les érables ont coulé plus de bonne heure c't'année !

MARIE-ANGE BROUILLETTE. A'l'essaye de le cacher, à part de ça. Mais ça commence à paraître un peu trop !

THÉRÈSE DUBUC. J'comprends donc ! J'sais pas qui c'est qui y'a fait ça, par exemple, hein ?

LISETTE DE COURVAL. Ça doit être son beau-père...

GERMAINE LAUZON. Ça me surprendrait pas pantoute. Y court assez après elle depuis qu'y'a marié sa mère !

THÉRÈSE DUBUC. Ça doit pas être beau à voir dans c'te maison-là ! Pauvre Monique, est ben jeune...

ROSE OUIMET. Ah ben, y faut dire qu'a'l'a pas mal couru après pareil ! Pour s'habiller comme a's'habille, ça prend une pas grand-chose ! Moé, l'été passé, c'est ben simple, a'me gênait ! Pourtant chus pas scrupuleuse ! J'sais pas si vous vous rappelez de ses shorts rouges... y'étaient short all right ! J'l'ai toujours dit qu'a'tournerait mal, Monique Bergeron ! Ça l'a le yable au corps, c'te fille-là ! Une vraie possédée ! D'ailleurs, est rousse. Non, y'ont beau dire, dans les vues françaises que les filles-mères font pitié, moé, j'trouve pas !

Lise Paquette fait un geste pour se lever.

PIERRETTE GUÉRIN. Non, prends sur toé, Lise !

ROSE OUIMET. Ecoutez donc, on se fait pas prendre de même ! Ah ! j'parle pas de celles qui se font violer, là, ça, c'est pas la même chose; mais les filles ordinaires qui attrapent un p'tit, là, ben j'les plains pas pantoute ! C'est ben de valeur ! J'vous dis que j'voudrais pas que ma Carmen m'arrive ammanchée de même, parce qu'a'passerait par le châssis, ça s'rait pas long ! Mais y'a pas de danger que ça y'arrive, est ben que trop demoiselle pour ça ! Non, pour moé, là, les filles-mères, c'est des bon-riennes pis des vicieuses qui courent après les hommes ! Mon mari appelle ça des agace-pissettes, lui !

LISE PAQUETTE. Si a'se farme pas tu-suite, j'la tue !

GINETTE MÉNARD. Pourquoi ? Moé, j'trouve qu'a'l'a pas mal raison !

LISE PAQUETTE. Ah ! toé, va-t'en, va-t'en avant que j't'étripe !

PIERRETTE GUÉRIN. Tu y vas un peu fort, Rose !

ROSE OUIMET. On sait ben, toé, tu dois t'être habituée d'en voir, des affaires de même ! Y'a pus rien qui doit te surprendre ! Tu dois trouver ça normal ! Ben pas nous autres ! Y'a quand même moyen d'éviter...

PIERRETTE GUÉRIN *(en riant).* Oui, c'est vrai, j'en connais quequ's-uns. Les pilules anti-contraceptives, par exemple...

ROSE OUIMET. Y'a pas moyen de te parler, toé ! C'est pas c'que j'voulais dire ! Tu sauras que chus pas pour l'amour libre, moé ! Chus catholique ! Reste donc dans ton monde pis laisse-nous donc tranquilles ! Maudite guidoune !

LISETTE DE COURVAL. J'trouve quand même que vous exagérez, madame Ouimet. Des fois, les filles qui se font prendre, ce ne sont pas toujours de leur faute.

ROSE OUIMET. Vous, vous croyez toute c'qu'on vous dit dans les vues françaises.

LISETTE DE COURVAL. Que c'est que vous avez contre les vues françaises, donc ?

ROSE OUIMET. J'ai rien contre, mais j'aime mieux les vues anglaises, c'est toute ! Les vues françaises, c'est trop réaliste, trop exagéré ! Y faut pas tout croire c'qu'y disent ! Dans les vues, les filles-mères font toujours pitié sans bon sens, pis c'est jamais de leur faute. Vous en connaissez, vous, des cas de même ? Moé, j'en connais pas ! Une vue, c't'une vue, pis la vie, c'est la vie !

LISE PAQUETTE. M'a la tuer, la calvaire ! Grosse maudite sans dessine ! Ça se parmet de juger le monde, pis ç'a pas plus de tête... Ben sa Carmen, là, hein, j'la connais sa Carmen, pis j'vous dis que ça vaut pas cher la varge ! Qu'a'regarde donc dans sa propre maison avant de chier su'a tête du monde !

Projecteur sur Rose Ouimet.

ROSE OUIMET. Oui, la vie, c'est la vie, pis y'a pas une Christ de vue française qui va arriver à décrire ça ! Ah ! c'est facile pour une actrice de faire pitié dans les vues ! J'cré ben ! Quand a'l'a fini de travailler, le soir, a'rentre dans sa grosse maison de cent mille piasses, pis a'se couche dans son lit deux fois gros comme ma chambre à coucher ! Mais quand on se réveille, nous autres, le matin... *(Silence.)* Quand moé j'me réveille, le matin, y'est toujours là qui me r'garde... Y m'attend. Tous les matins que le bonyeu emmène, y se réveille avant moé, pis y m'attend ! Pis tous les soirs que le bonyeu emmène, y se couche avant moé, pis y m'attend ! Y'est toujours là, y'est toujours après moé, collé après moé comme une sangsue ! Maudit cul ! Ah ! ça, y le disent pas dans les vues, par exemple ! Ah ! non, c'est des choses qui se disent pas, ça ! Qu'une femme soye obligée d'endurer un cochon toute sa vie parce qu'a'l'a eu le malheur d'y dire "oui" une fois, c'est pas assez intéressant, ça ! Ben bonyeu, c'est ben plus triste que ben des vues ! Parce que ça dure toute une vie, ça ! *(Silence.)* J'l'ai-tu assez r'gretté, mais j'l'ai-tu assez r'gretté. J'arais jamais dû me marier ! J'arais dû crier "non" à pleins poumons, pis rester vieille fille ! Au moins, j'arais eu la paix ! C'est vrai que j'étais ignorante dans ce temps-là pis que je savais pas c'qui m'attendait ! Moé, l'épaisse, j'pensais rien qu'à "la Sainte Union du Mariage" ! Faut tu être bête pour élever ses enfants dans l'ignorance de même, mais faut-tu être bête ! Ben, moé, ma Carmen, a's'f'ra pas poigner de même, O.K. ? Parce que moé, ma Carmen, ça fait longtemps que j'y ai dit c'qu'y valent, les hommes ! Ça, a'pourra pas dire que j'l'ai pas avartie ! *(Au bord des larmes.)* Pis a'finira pas comme moé, à quarante-quatre ans, avec un p'tit gars de quatre ans sur les bras pis un écœurant de mari qui veut rien comprendre, pis qui demande son dû deux fois par jour, trois cent soixante-cinq jours par année ! Quand t'arrives à quarante ans pis que tu t'aparçois que t'as rien en arrière de toé, pis que t'as rien en avant de toé, ça te donne envie de toute crisser là, pis de toute recommencer en neuf ! Mais les femmes, y peuvent pas faire ça... Les femmes, sont pognées à'gorge, pis y vont rester de même jusqu'au boute !

Eclairage général.

GABRIELLE JODOIN. En tout cas, les vues françaises, moé, j'aime ça ! Eh ! qu'y'ont donc le tour de faire des belles vues tristes, eux autres ! J'vous dis qu'y'ont pas de misère à me faire brailler ! Pis y faut dire que les Français sont ben plus beaux que les Canadiens ! Des vraies pièces d'hommes !

GERMAINE LAUZON. Ah ! ben non par exemple, là j't'arrête ! Là, t'as menti !

MARIE-ANGE BROUILLETTE. Les Français, c'est toute des p'tits bas-culs qui me viennent même pas à l'épaule ! Pis y sont ben trop efféminés ! Y'ont toutes l'air de vraies femmes !

GABRIELLE JODOIN. J'vous demande ben pardon ! Y'en a qui sont hommes ! Pis autrement hommes que nos pauvres maris !

GERMAINE LAUZON. Ah ! J'cré ben, si tu prends nos maris comme exemple ! On mélange pas les torchons pis les sarviettes ! Nos maris, c'est ben sûr qu'y font durs, mais prends nos acteurs, là, sont aussi beaux pis aussi bons que n'importe quel Français de France !

GABRIELLE JODOIN. En tout cas, moé, Jean Marais, j'y f'rais pas mal ! Ça, c't'un homme !

OLIVINE DUBUC. Coke… coke… encore… coke…

THÉRÈSE DUBUC. Taisez-vous donc, madame Dubuc !

OLIVINE DUBUC. Coke ! Coke !

ROSE OUIMET. Ah ! faites-la taire un peu, on s'entend pus coller ! Donnes-y donc un coke, Germaine, ça va la boucher pour quequ'temps !

GERMAINE LAUZON. Ben, j'pense que j'en ai pus !

ROSE OUIMET. Bonyeu, t'en avais pas acheté gros ! Tu ménages ! Tu ménages !

RHÉAUNA BIBEAU *(en volant des timbres)*. Après toute, y m'en manque juste trois pour avoir mon porte-poussière chromé.

Entre Angéline Sauvé.

ANGÉLINE SAUVÉ. Bonsoir… *(A Rhéauna.)* Chus rev'nue…

LES AUTRES *(sèchement)*. Bonsoir…

ANGÉLINE SAUVÉ. J'ai été voir l'abbé de Castelneau…

PIERRETTE GUÉRIN. A'm'a même pas regardée !

DES-NEIGES VERRETTE. Que c'est qu'a'peut ben vouloir à mademoiselle Bibeau, donc ?

MARIE-ANGE BROUILLETTE. Moé, chus certaine qu'a'vient y demander pardon. Après toute, mademoiselle Sauvé, c't'une bonne personne, a'sait comprendre le bon sens. Vous allez voir, tout va s'arranger pour le mieux.

GERMAINE LAUZON. En attendant, j'vas aller voir à combien de livrets qu'on est rendu.

Les femmes se dressent sur leurs chaises. Gabrielle Jodoin hésite, puis...

GABRIELLE JODOIN. Hon ! Germaine, j'ai oublié de te dire ça ! J't'ai trouvé une corsetière ! Une dame Angélina Giroux ! Viens icitte, que j't'en parle !

RHÉAUNA BIBEAU. J'savais que tu m'reviendrais, Angéline ! Chus ben contente. Tu vas voir, on va prier ensemble, pis le bon Dieu va oublier ça ben vite ! C'est pas un fou, t'sais, le bon Dieu !

LISE PAQUETTE. C'est ben ça, Pierrette, y sont raccordées !

PIERRETTE GUÉRIN. J'ai mon hostie de voyage !

ANGÉLINE SAUVÉ. J'vas quand même aller dire bonsoir à Pierrette, y expliquer...

RHÉAUNA BIBEAU. Non, tu s'rais mieux de pus y parler pantoute ! Reste avec moé, laisse-la faire, elle ! C'est fini, c't'histoire-là !

ANGÉLINE SAUVÉ. Bon, comme tu voudras.

PIERRETTE GUÉRIN. Ça y'est. A'l'a gagné ! J'ai pus rien à faire icitte, moé, chus t'écœurée quequ'chose de rare ! J'vas crisser mon camp !

GERMAINE LAUZON. T'es ben smatte, Gaby. J'commençais à désespérer, tu comprends. C'est pas n'importe qui qui peut me faire des corsets. J'vas aller la voir, la semaine prochaine. *(Elle se dirige vers la caisse aux livrets. Les femmes la suivent toutes du regard.)* Bonyeu, y'en a pas gros ! Oùsqu'y sont toutes, donc, les livrets ? Y'en a rien qu'une dizaine, dans le fond ! Y sont peut-être... non, la table est vide ! *(Silence. Germaine Lauzon regarde toutes les femmes.)* Que c'est qui se passe icitte, donc ?

LES AUTRES. Ben... heu... j'sais pas... franchement...

Elles font semblant de chercher les livrets. Germaine se poste devant la porte.

GERMAINE LAUZON. Où sont mes timbres ?

ROSE OUIMET. Ben, voyons, Germaine, cherche un peu !

GERMAINE LAUZON. Y sont pas dans la caisse, pis y sont pas sur la table ! J'veux savoir où sont mes timbres !

OLIVINE DUBUC *(sortant des timbres cachés dans ses vêtements).* Timbres ? Timbres... timbres...

Elle rit.

THÉRÈSE DUBUC. Madame Dubuc, cachez ça... Maudit, madame Dubuc !

MARIE-ANGE BROUILLETTE. Bonne sainte Anne !

DES-NEIGES VERRETTE. Priez pour nous !

GERMAINE LAUZON. Mais a'n'a plein son linge ! Mais que c'est ça, a'n'a partout ! Tiens, pis tiens... Thérèse... c'est pas vous, toujours.

THÉRÈSE DUBUC. Ben non, voyons, j'vous jure que j'savais pas !

GERMAINE LAUZON. Montrez-moé vot'sacoche !

THÉRÈSE DUBUC. Voyons donc, Germaine, si vous avez pas plus confiance en moé que ça.

ROSE OUIMET. Germaine, t'exagères !

GERMAINE LAUZON. Toé aussi, Rose, j'veux voir ta sacoche ! J'veux toute voir vos sacoches ! Toute la gang !

DES-NEIGES VERRETTE. J'refuse ! C'est la première fois qu'on me manque de respect de même !

YVETTE LONGPRÉ. Oui, certain !

LISETTE DE COURVAL. Je ne remettrai plus jamais les pieds ici !

Germaine Lauzon s'empare du sac de Thérèse et l'ouvre. Elle en sort plusieurs livrets.

GERMAINE LAUZON. Hein ? Hein ? J'savais ben ! J'suppose que c'est pareil dans les autres sacoches ! Mes maudites vaches, par exemple ! Vous sortirez pas d'icitte vivantes ! M'as toutes vous assommer !

PIERRETTE GUÉRIN. M'as t'aider, Germaine ! Toute une gang de maudites voleuses ! Pis ça vient lever le nez sur moé !

GERMAINE LAUZON. Montrez-moé toutes vos sacoches. *(Elle arrache le sac à Rose.)* Tiens… pis tiens ! *(Elle prend un autre sac.)* Encore icitte. Pis tiens, encore ! Vous aussi, mademoiselle Bibeau ? Y'en a rien que trois, mais y'en a pareil !

ANGÉLINE SAUVÉ. Hon ! Rhéauna ! Toé aussi !

GERMAINE LAUZON. Toute ! Toute la gang ! Vous êtes toutes des écœurantes de voleuses !

MARIE-ANGE BROUILLETTE. Vous les méritez pas, ces timbres-là !

DES-NEIGES VERRETTE. Pourquoi vous plus qu'une autre, hein ?

ROSE OUIMET. Tu nous as fait assez baver avec ton million de timbres !

GERMAINE LAUZON. Mais, c'est à moé ces timbres-là !

LISETTE DE COURVAL. Ils devraient être à tout le monde !

LES AUTRES. Oui, à tout le monde !

GERMAINE LAUZON. Mais sont à moé ! Donnez-moé-les !

LES AUTRES. Jamais !

MARIE-ANGE BROUILLETTE. Y'en reste encore ben dans les caisses, servons-nous !

DES-NEIGES VERRETTE. Oui, certain !

YVETTE LONGPRÉ. J'vas remplir ma sacoche.

GERMAINE LAUZON. Arrêtez ! Touchez-y pas !

THÉRÈSE DUBUC. T'nez, madame Dubuc, en v'là. T'nez, encore.

MARIE-ANGE BROUILLETTE. V'nez, mademoiselle Verrette, y'en a en masse, icitte. Aidez-moé.

PIERRETTE GUÉRIN. Lâchez ça tu-suite !

GERMAINE LAUZON. Mes timbres ! Mes timbres !

ROSE OUIMET. Viens m'aider, Gaby, j'en ai trop pris !

GERMAINE LAUZON. Mes timbres ! Mes timbres !

Une grande bataille s'ensuit. Les femmes volent le plus de timbres qu'elles peuvent. Pierrette et Germaine essaient de les arrêter. Linda et Lise restent assises dans un coin et regardent le spectacle sans bouger. On entend des cris, quelques femmes se mettent à se battre.

MARIE-ANGE BROUILLETTE. C'est à moé, ceux-là !

ROSE OUIMET. Vous avez ben menti, sont à moé !

LISETTE DE COURVAL *(à Gaby)*. Voulez-vous ben m'lâcher ! Voulez-vous ben m'lâcher !

On commence à se lancer des livrets de timbres par la tête. Tout le monde pige à qui mieux mieux dans les caisses, on lance des timbres un peu partout, par la porte, par la fenêtre. Olivine Dubuc essaie de se promener avec sa chaise roulante et hurle le "O Canada". Quelques femmes sortent avec leur bagage de timbres. Rose et Gabrielle restent un peu plus longtemps que les autres.

GERMAINE LAUZON. Mes sœurs ! Mes propres sœurs ! *(Gabrielle et Rose sortent. Il ne reste plus dans la cuisine que Germaine, Linda et Pierrette. Germaine s'écroule sur une chaise.)* Mes timbres ! Mes timbres.

Pierrette passe ses bras autour des épaules de Germaine.

PIERRETTE GUÉRIN. Pleure pas, Germaine !

GERMAINE LAUZON. Parle-moé pas ! Va-t'en ! T'es pas mieux que les autres !

PIERRETTE GUÉRIN. Mais…

GERMAINE LAUZON. Va-t'en, j'veux pus te voir !

PIERRETTE GUÉRIN. Mais, j't'ai défendue ! Chus t'avec toé, Germaine !

GERMAINE LAUZON. Va-t'en, laisse-moé tranquille ! Parle-moé pus ! J'veux pus voir parsonne !

Pierrette sort lentement. Linda se dirige elle aussi vers la porte.

LINDA LAUZON. Ça va être une vraie job, toute nettoyer ça !

GERMAINE LAUZON. Mon Dieu ! Mon Dieu ! Mes timbres ! Y me reste pus rien ! Rien ! Rien ! Ma belle maison neuve ! Mes beaux meubles ! Rien ! Mes timbres ! Mes timbres !

Elle s'écroule devant une chaise et commence à ramasser les timbres qui traînent. Elle pleure à chaudes larmes. On entend toutes les autres à l'extérieur qui chantent le "O Canada". A mesure que l'hymne avance, Germaine retrouve son "courage" et elle finit le "O Canada" avec les autres, debout à l'attention, les larmes aux yeux. Une pluie de timbres tombe lentement du plafond…

Rideau.

NOTICE

La lecture des *Belles-Sœurs* a eu lieu au Centre du Théâtre d'Aujourd'hui, le lundi 4 mars 1968, par le Centre d'essai des auteurs dramatiques. La pièce a été créée le 28 août 1968 par le théâtre du Rideau-Vert de Montréal, dans une mise en scène d'André Brassard.

Avec Denise Proulx (Germaine Lauzon), Odette Gagnon (Linda Lauzon), Denise Filiatrault (Rose Ouimet), Lucille Bélair (Gabrielle Jodoin), Hélène Loiselle (Lisette de Courval), Marthe Choquette (Marie-Ange Brouillette), Sylvie Heppel (Yvette Longpré), Denise de Jaguère (Des-Neiges Verrette), Germaine Giroux (Thérèse Dubuc), Nicole LeBlanc (Olivine Dubuc), Anne-Marie Ducharme (Angéline Sauvé), Germaine Lemyre (Rhéauna Bibeau), Rita Lafontaine (Lise Paquette), Josée Beauregard (Ginette Ménard), Luce Guilbeault (Pierrette Guérin).

LES BELLES-SŒURS

(1965)

LES PERSONNAGES DONT ON PARLE, MAIS QU'ON NE VOIT PAS DANS LES BELLES-SŒURS

Par André Brassard

Aubin, Diane (nageuse aquatique)
Bacon, Juliette (épouse du suivant, invitée au party de Fleur-Ange David)
Bacon, Roméo (époux de la précédente et invité au party de Fleur-Ange David)
Baril, madame (veuve)
Baril, Rolande (fille de Rosaire Baril, fait de la culpabilité)
Baril, Rosaire (mort)
Beaupré, Liliane (invitée au party de Fleur-Ange David)
Bélair, Manon (fille-mère)
Bergeron, madame (mère de Monique et de Richard, pourvoyeuse en chaises, mariée en secondes noces à un satyre)
Bergeron, Monique (fille de la précédente, fille-mère, agace-pissette au dire de Rose Ouimet)
Bergeron, Richard (fils de la précédente, fort utile pour les commissions)
Bergeron, Robert (fils de madame Bergeron, colleur de semelles en passe de devenir p'tit boss, steady de Linda Lauzon)
Bleau, Mimi (invitée au party de Fleur-Ange David)
Brouillette, monsieur (mari de Marie-Ange Brouillette)
Brouillette, monsieur et madame (beaux-parents de Marie-Ange Brouillette)
Brouillette, Simone (belle-sœur de Marie-Ange, mère d'une fille en dépression)
Cadieux, Laura (invitée au party de Fleur-Ange David)
Cadieux, Pit (sans parenté évidente avec la précédente, lui aussi invité au party de Fleur-Ange David)

Campeau, Rose (invitée au party de Fleur-Ange David)
De Castelneau, l'abbé (directeur de conscience d'Angéline Sauvé)
Chabot, Roger (invité au party de Fleur-Ange David)
Champagne, Ludger (invité au party de Fleur-Ange David)
Cinq-Mars, Grégoire (invité au party de Fleur-Ange David)
Constantine, Eddy (acteur franco-américain, idole de Marie-Ange Brouillette)
De Courval, Léopold (mari de Lisette, endetté)
De Courval, Micheline (fille de Lisette, opératrice de machines IBM)
David, Aurèle (père d'Oscar, invité au party de Fleur-Ange David)
David, Claude (fils de Fleur-Ange David)
David, Fernand (fils de Fleur-Ange)
David, Fleur-Ange (heureuse jubilaire)
David, Lisette (fille de Fleur-Ange)
David, Micheline (fille de Fleur-Ange)
David, Oscar (mari de Fleur-Ange)
David, Ozéa (mère d'Oscar)
David, Raymond (fils de Fleur-Ange)
David, Réal (fils de Fleur-Ange)
David, Yves (fils de Fleur-Ange)
Dubé, madame (voisine; habite en bas des Robitaille; propriétaire d'un hamac)
Dubé, monsieur (mari de la précédente dont la paresse a été punie)
Dubuc, monsieur (beau-frère d'Henri Lauzon)
Dubuc, Paolo (fils de Thérèse Dubuc)
Fortier, Théodore (invité au party de Fleur-Ange David)
Fournier, Antonio (invité au party de Fleur-Ange David)
Fournier, Rita (femme du précédent, invitée au party de Fleur-Ange David)
Gagné, l'abbé (s'occupe des loisirs de la paroisse; un peu trop "à la mode" au dire de certaines dames)
Gariépy, Ovila (invité au party de Fleur-Ange David)
Gauvin, Napoléon (invité au party de Fleur-Ange David)
Gervais, Armand (invité au party de Fleur-Ange David)
Gervais, Georges-Albert (invité au party de Fleur-Ange David)

Gervais, Germaine (invitée au party de Fleur-Ange David)
Gervais, Wilfrid (invité au party de Fleur-Ange David)
Giroux, Angélina (corsetière)
Gladu, madame (mère du suivant)
Gladu, Raymond (vedette locale)
Guay, Hormidas (invité au party de Fleur-Ange David)
Guérin, monsieur (père des sœurs Guérin : Rose, Germaine, Gabrielle et Pierrette)
Héroux, Hermine (invitée au party de Fleur-Ange)
Joannette, Conrad (invité au party de Fleur-Ange David)
Jodoin, monsieur (mari de Gabrielle, a une réputation d'avarice)
Jodoin, Raymond (fils ingrat de Gabrielle)
Johnny (maudit)
Joly, Roger (invité au party de Fleur-Ange David)
Laflamme, Simone (invitée au party de Fleur-Ange David)
Landreville, Jeannette (invitée au party de Fleur-Ange David)
Langlois, Philémon (invité au party de Fleur-Ange David)
Laplante, Nina (invitée au party de Fleur-Ange David)
Latour Virginie (invitée au party de Fleur-Ange David)
Lauzon, Henri (mari de Germaine, travaille la nuit)
Lauzon, le p'tit (fils de Germaine, fait parfois les commissions)
Lemoyne, Daniel (invité au party de Fleur-Ange David)
Lemoyne, Rose-Aimée (invitée au party de Fleur-Ange David)
Liasse, Léa (invitée au party de Fleur-Ange David)
Longpré, Claudette (fille d'Yvette, nouvelle mariée, a fait un très beau voyage de noces)
Longpré, Euclide (mari d'Yvette ; bricoleur)
Marais, Jean (acteur français, idole de Gabrielle Jodoin)
Ménard, madame (mère marâtre de Ginette ; ivrognesse)
Ménard, monsieur (mari de la précédente ; coléreux)
Ménard, Suzanne (sœur de Ginette ; maîtresse d'école ; a toutes les qualités)
Meunier, Eliane (invitée au party de Fleur-Ange David)
Morel, Marcel (invité au party de Fleur-Ange David)
Morrissette, Gilberte (invitée au party de Fleur-Ange David)
Ouimet, Aline (sœur du mari de Rose ; possède de beaux verres)
Ouimet, Bernard (fils chéri de Rose)

Ouimet, Bruno (petit-fils de Rose)
Ouimet, Carmen (fille de Rose ; demoiselle)
Ouimet, Manon (belle-fille de Rose ; aurait tous les défauts)
Ouimet, Michel (fils de Rose ; porté sur les Italiennes)
Ouimet, monsieur (mari de Rose, aux appétits sexuels débordants [?])
Ouimet, le p'tit (âgé de quatre ans, dernier [?] enfant de Rose)
Paquette, monsieur (père de Lise, violent)
Portelance, Robertine (invitée au party de Fleur-Ange David)
Quintal, Rodolphe (invité au party de Fleur-Ange David)
Robitaille, Daniel (a fait une chute malheureuse)
Robitaille, madame (voisine, mère du précédent)
Rochon, l'abbé (prédicateur invité)
Rose-Aimée (?) (belle-sœur d'Angéline Sauvé)
Rouleau, Rosaire (invité au party de Fleur-Ange David)
Sansregret, Willie (invité au party de Fleur-Ange David)
Simard, Antonio (invité au party de Fleur-Ange David)
Simard, Henri (commis voyageur, ne serait pas indifférent aux charmes de Des-Neiges Verrette)
Smith, Alexandrine (invitée au party de Fleur-Ange David)
Thibault, Louis (invité au party de Fleur-Ange David)
Thibodeau, Alexandre (invité au party de Fleur-Ange David)
Tremblay, Blanche (invitée au party de Fleur-Ange David)
Tremblay, monsieur (absent au party de Fleur-Ange David pour cause de décès)
Turgeon, Anne-Marie (invitée au party de Fleur-Ange David)
… et les autres : La belle-sœur d'une des belles-sœurs de Thérèse Dubuc (pauvre)
Le Bon Dieu (vient comme un voleur)
Monsieur le curé (ennemi des concours, mais organisateur de bingos)
Le docteur à Pierrette (avorteur)
La fille de la belle-sœur Simone de Marie-Ange Brouillette (dépressive)
La fille de l'Italienne (dévergondée)
Le gars qui vend de la viande à 'shop (voleur)
L'Italienne (voisine, mère de la dévergondée, pudique ou malpropre…)
Le lieutenant du transatlantique ("une belle pièce d'homme")

La mère de monsieur Baril (le mort) (ancienne compagne de classe de Rhéauna Bibeau et d'Angéline Sauvé)
Le nouveau mari de madame Bergeron (satyre)
Le père de l'enfant de Lise Paquette (?)
Le prêtre des retraites de l'année passée (piètre prédicateur)
Le p'tit gars de La Presse (inoffensif)
Les représentants de la compagnie de timbres (jeunes hommes de belle apparence, sachant bien s'exprimer)
La sœur de madame Baril (ne sait pas porter le deuil, a l'air plus vieille que son âge)
Les Français (p'tits bas-culs qui font de bien belles vues)
Les Européens (ne se lavent pas)
Les femmes des îles Canaries (portent seulement des jupes)
La voisine (appeleuse de police)

DU MÊME AUTEUR

ROMANS, RÉCITS ET CONTES

Contes pour buveurs attardés, Éditions du Jour, 1966 ; BQ, 1996.
La cité dans l'œuf, Éditions du Jour, 1969 ; BQ, 1997.
C't'à ton tour, Laura Cadieux, Éditions du Jour, 1973 ; BQ, 1997.
Le cœur découvert, Leméac, 1986 ; Babel, 1995 ; Nomades, 2016.
Les vues animées, Leméac, 1990 ; Babel, 1999 ; Nomades, 2016.
Douze coups de théâtre, Leméac, 1992 ; Babel, 1997 ; Nomades, 2016.
Le cœur éclaté, Leméac, 1993 ; Babel, 1995 ; Nomades, 2016.
Un ange cornu avec des ailes de tôle, Leméac / Actes Sud, 1994 ; Babel, 1996 ; Nomades, 2015.
La nuit des princes charmants, Leméac / Actes Sud, 1995 ; Babel, 2000 ; Babel J, 2006 ; Nomades, 2016.
Quarante-quatre minutes, quarante-quatre secondes, Leméac / Actes Sud, 1997.
Hotel Bristol, New York, N.Y., Leméac / Actes Sud, 1999.
L'homme qui entendait siffler une bouilloire, Leméac / Actes Sud, 2001.
Bonbons assortis, Leméac / Actes Sud, 2002 ; Babel, 2010 ; Nomades, 2015.
Le cahier noir, Leméac / Actes Sud, 2003.
Le cahier rouge, Leméac / Actes Sud, 2004.
Le cahier bleu, Leméac / Actes Sud, 2005.
Le gay savoir, Leméac / Actes Sud, coll. « Thesaurus », 2005.
Le trou dans le mur, Leméac / Actes Sud, 2006.
Conversations avec un enfant curieux, Leméac / Actes Sud, 2016.
Le peintre d'aquarelles, Leméac / Actes Sud, 2017.

LA DIASPORA DES DESROSIERS

La traversée du continent, Leméac / Actes Sud, 2007 ; Babel, 2014 ; Nomades, 2016.
La traversée de la ville, Leméac / Actes Sud, 2008 ; Nomades, 2016..
La traversée des sentiments, Leméac / Actes Sud, 2009.
Le passage obligé, Leméac / Actes Sud, 2010.
La grande mêlée, Leméac / Actes Sud, 2011.
Au hasard la chance, Leméac / Actes Sud, 2012.

Les clefs du Paradise, Leméac/Actes Sud, 2013.
Survivre! Survivre!, Leméac/Actes Sud, 2014.
La traversée du malheur, Leméac/Actes Sud, 2015.
La Diaspora des Desrosiers, Leméac/Actes Sud, coll. «Thesaurus», 2017.

CHRONIQUES DU PLATEAU-MONT-ROYAL

La grosse femme d'à côté est enceinte, Leméac, 1978; Babel, 1995; Nomades, 2015.
Thérèse et Pierrette à l'école des Saints-Anges, Leméac, 1980; Grasset, 1983; Babel, 1995; Nomades, 2016.
La duchesse et le roturier, Leméac, 1982; Grasset, 1984; BQ, 1992.
Des nouvelles d'Édouard, Leméac, 1984; Babel, 1997; Nomades, 2016.
Le premier quartier de la lune, Leméac, 1989; Babel, 1999; Nomades, 2015.
Un objet de beauté, Leméac/Actes Sud, 1997; Babel, 2011; Nomades, 2016.
Chroniques du Plateau-Mont-Royal, Leméac/Actes Sud, coll. «Thesaurus», 2000.

THÉÂTRE

En pièces détachées, Leméac, 1970.
Trois petits tours, Leméac, 1971.
À toi, pour toujours, ta Marie-Lou, Leméac, 1971; Leméac/Actes Sud Papiers, 2007.
Les belles-sœurs, Leméac, 1972; Leméac/Actes Sud Papiers, 2007.
Demain matin, Montréal m'attend, Leméac, 1972; 1995; Nomades, 2017.
Hosanna suivi de *La duchesse de Langeais*, Leméac, 1973; 1984.
Bonjour, là, bonjour, Leméac, 1974.
Les héros de mon enfance, Leméac, 1976.
Sainte Carmen de la Main, Leméac, 1976.
Damnée Manon, sacrée Sandra suivi de *Surprise! Surprise!*, Leméac, 1977.
L'impromptu d'Outremont, Leméac, 1980.
Les anciennes odeurs, Leméac, 1981.
Albertine en cinq temps, Leméac, 1984; Leméac/Actes Sud Papiers, 2007.
Le vrai monde?, Leméac, 1987.
Nelligan, Leméac, 1990.

La maison suspendue, Leméac, 1990.
Le train, Leméac, 1990.
Théâtre I, Leméac / Actes Sud Papiers, 1991.
Marcel poursuivi par les chiens, Leméac, 1992.
En circuit fermé, Leméac, 1994.
Messe solennelle pour une pleine lune d'été, Leméac, 1996.
Encore une fois, si vous permettez, Leméac, 1998.
L'état des lieux, Leméac, 2002.
Le passé antérieur, Leméac, 2003.
Le cœur découvert – scénario, Leméac, 2003.
L'impératif présent, Leméac, 2003.
Bonbons assortis au théâtre, Leméac, 2006.
Théâtre II, Leméac/Actes Sud Papiers, 2006.
Le paradis à la fin de vos jours, Leméac, 2008.
Fragments de mensonges inutiles, Leméac, 2009.
L'Oratorio de Noël, Leméac, 2012.
Enfant insignifiant!, Leméac, 2017.

Ouvrage réalisé
par Luc Jacques, typographe
Achevé d'imprimer
en juin 2019
sur les presses de
Marquis imprimeur
pour le compte de
Leméac Éditeur
Montréal, Canada
et des Éditions
ACTES SUD
Arles, France

Dépôt légal
1re édition : juin 2007
(ÉD. 01 / IMP. 15)
Imprimé au Canada